Édition : Isabel Tardif
Coordonnateur de projet : Mario Landry
Design graphique : Josée Amyotte
Infographie : Johanne Lemay
Correction : Odile Dallaserra
Traitement des images : Johanne Lemay

Photos © Philippe Lapeyrie,
à l'exception des pages 6 et 9 : Shutterstock

DISTRIBUTEURS EXCLUSIFS :

Pour le Canada et les États-Unis :
MESSAGERIES ADP inc.*
Téléphone : 450-640-1237
Internet : www.messageries-adp.com
* filiale du Groupe Sogides inc.,
  filiale de Québecor Média inc.

Pour la France et les autres pays :
INTERFORUM editis
Téléphone : 33 (0) 1 49 59 11 56/91
Service commandes France Métropolitaine
Téléphone : 33 (0) 2 38 32 71 00
Internet : www.interforum.fr
Service commandes Export – DOM-TOM
Internet : www.interforum.fr
Courriel : cdes-export@interforum.fr

Pour la Suisse :
INTERFORUM editis SUISSE
Téléphone : 41 (0) 26 460 80 60
Internet : www.interforumsuisse.ch
Courriel : office@interforumsuisse.ch
Distributeur : OLF S.A.
Commandes :
Téléphone : 41 (0) 26 467 53 33
Internet : www.olf.ch
Courriel : information@olf.ch

Pour la Belgique et le Luxembourg :
INTERFORUM BENELUX S.A.
Téléphone : 32 (0) 10 42 03 20
Internet : www.interforum.be
Courriel : info@interforum.be

10-16

Imprimé au Canada

Dépôt légal : 2016
Bibliothèque et Archives nationales du Québec
ISBN 978-2-7619-4639-1

Gouvernement du Québec – Programme de crédit
d'impôt pour l'édition de livres – Gestion SODEC –
www.sodec.gouv.qc.ca

L'Éditeur bénéficie du soutien de la Société de dévelop-
pement des entreprises culturelles du Québec pour son
programme d'édition.

Conseil des Arts   **Canada Council**
du Canada   **for the Arts**

Nous remercions le Conseil des Arts du Canada de l'aide
accordée à notre programme de publication.

Financé par le gouvernement du Canada
Funded by the Government of Canada   Canadä

Nous reconnaissons l'aide financière du gouvernement
du Canada par l'entremise du Fonds du livre du Canada
pour nos activités d'édition.

Le LAPEYRiE 2017

LES ÉDITIONS DE
L'HOMME
Une société de Québecor Média

AVANT-PROPOS

Quelques mois avant la naissance de notre petit Thomas, en septembre 2010, je n'aurais pas misé un sou sur le fait que j'écrirais six bouquins du vin en six ans… Et vous savez quoi? C'est votre faute, précieux, gourmands, curieux et amoureux de la dive bouteille! Si nous publions chaque année une nouvelle édition de ce guide, c'est parce que vous mettez la main dessus à chaque «millésime», alors, un immense merci à vous!

Ce petit nouveau (qui est pas mal plus agréable à «consommer» que la plupart des «beaujos nuovos»!) est entièrement renouvelé, de la première à la dernière page. Aucun texte des éditions précédentes n'a été «copié-collé», il est entièrement «refait à neuf». Vous aurez donc des heures de plaisir à déguster les vins qui y sont présentés, et vous y dénicherez de nombreuses aubaines à ne pas manquer, de 10$ à 30$ la quille. Que du «beau jus» qui nous a fait sourire en dégustation à l'hiver, au printemps et au début de l'été 2016.

C'est tout? Bien sûr que non! Ce guide renferme aussi des tas d'infos sur le service de vos bouteilles, les accords mets-vins, les régions de production, la température de service, le temps d'aération en carafe et de garde en cave, les cépages, les quantités de sucres résiduels des vins, leur taux d'alcool. De plus, les codes SAQ vous permettront de trouver rapidement les produits en magasin. Alors, oui, un paquet d'informations parfois techniques et pédagogiques, mais souvent amusantes, aussi! Sans oublier les anecdotes bien «juteuses» et autres renseignements trippants sur les domaines et les gens qui façonnent la vigne. Tout le monde veut savoir qui sont les hommes ou les femmes qui se cachent derrière les étiquettes et les bouteilles. Qu'elle soit de prix modeste ou plus élevé, chaque bouteille a une histoire à raconter. C'est notre *job* de fouiller la question pour vous, en échangeant avec le vigneron ou l'agent qui représente le produit sur notre marché, afin de dénicher d'enrichissants détails.

Chacun des produits a été sélectionné avec soin, rigueur, et en totale impartialité par Mathieu, mon précieux collaborateur, et moi-même. Mathieu Saint-Amour est le sommelier du restaurant l'Échaudé, dans le Vieux-Port de Québec. C'est un solide gaillard en dégustation, vous n'avez pas fini d'entendre parler de lui. Une excellente relève pour la sommellerie québécoise! Cela dit, le jeu est fantastique, simple et fascinant à la fois: nous dégustons *grosso modo* 1 500 bouteilles différentes pendant les six mois qu'exige la rédaction du livre, ainsi que 1 000 autres bouteilles le reste de l'année. Dans ce livre et dans d'autres médias (presse, télé, radio, réseaux sociaux), nous saluons celles que nous aimons et qui sont disponibles en bonne quantité dans le réseau de la SAQ. Si le vin ne nous plaît pas, comme nous ne devons rien à personne, nous restons complètement muets, le bec cloué, la bouche ligotée, «pas un mot su'a *game*»! On ne joue pas vraiment dans le négatif et on voit le verre de vin à moitié plein, rarement à moitié vide... Dans ces pages, nous vous présentons donc quelque 300 produits à ne pas manquer, sans la moindre page de publicité. Juste du bon *vino* (et quelques bons cidres québécois, bien sûr)!

Allez-y à fond en dégustant et en profitant des nombreuses trouvailles agréables, et aussi des vins un peu plus classiques à redécouvrir. Goûtez des nouveautés, gâtez vos papilles et celles des gens qui vous sont chers. La vie est bonne, alors vivons-la à fond la caisse... de vin!

Santé, et merci à vous, les amis du jus de raisin fermenté!

Phil Lapeyrie

BLANC

**The Pavillion –
Boschendal 2015 p. 14**
Coastal Region, Afrique du Sud
Prix : 11,55 $ Code SAQ : 12698944

Pathos – Tsantali 2014 p. 18
Péloponnèse, Grèce
Prix : 11,70 $ Code SAQ : 12700354

Genolí – Ijalba 2015 p. 36
Rioja, Espagne
Prix : 15,65 $ Code SAQ : 00883033

Attitude – Pascal Jolivet 2015 p. 52
Loire, France
Prix : 18,20 $ Code SAQ : 11463828

Ktima Gerovassiliou 2015 p. 68
Macédoine, Grèce
Prix : 20,45 $ Code SAQ : 10249061

**Chablis Premier Cru Vaulignot –
Louis Moreau 2014 p. 82**
Bourgogne, France
Prix : 31,00 $ Code SAQ : 00480285

ROUGE

**Campobarro –
San Marcos 2014 p. 88**
Extremadura, Espagne
Prix : 10,85 $ Code SAQ : 10357994

**Syrah Araucano –
François Lurton 2014 p. 90**
Vallée de Lolol, Chili
Prix : 11,00 $ Code SAQ : 11975073

**Coto de Hayas –
Bodegas Aragonesas 2014 p. 94**
Aragon, Espagne
Prix : 11,60 $ Code SAQ : 12525111

Clos Bagatelle 2015 p. 102
Languedoc-Roussillon, France
Prix : 13,95 $ Code SAQ : 12824998

Blés – Aranleon 2013 p. 118
Valence, Espagne
Prix : 15,80 $ Code SAQ : 10856427

Artazuri – Artadi 2014 p. 130
Navarre, Espagne
Prix : 16,90 $ Code SAQ : 10902841

Palanca – Tommasi 2013 p. 150
Vénélie, Italie
Prix : 18,00 $ Code SAQ : 11770756

Pure – Trapiche 2014 p. 152
Mendoza, Argentine
Prix : 18,00 $ Code SAQ : 12823397

**Terrasses –
Château Pesquié 2014 p. 160**
Rhône, France
Prix : 18,60 $ Code SAQ : 10255939

**Bronzinelle – Château Saint-Martin
de la Garrigue 2013 p. 166**
Languedoc-Roussillon, France
Prix : 19,20 $ Code SAQ : 10268588

**Marie-Gabrielle –
Cazes 2015 p. 174**
Languedoc-Roussillon, France
Prix : 19,90 $ Code SAQ : 00851600

**La Montesa –
Palacios Remondo 2012 p. 200**
Rioja, Espagne
Prix : 20,60 $ Code SAQ : 10556993

**Produttori del
Barbaresco 2014 p. 246**
Piémont, Italie
Prix : 26,05 $ Code SAQ : 11383617

**Emilien – Château le Puy 2011
p. 252**
Bordeaux, France
Prix : 29,55 $ Code SAQ : 00709469

Douglas Green 2015

10,⁹⁵ $

ORIGINE
Coastal Region – Western Cape – Afrique du Sud

CÉPAGE
Chenin blanc

À SERVIR À
9-10 °C

CARAFE
-

À BOIRE AVANT
2018

SUCRE ET ALCOOL
2,7 g/l et 12,5 %

CODE SAQ
12698872

ACCORDS
Avec les canapés ou à table, ce blanc d'Afrique du Sud jouera habilement les héros sur de nombreuses créations culinaires, car c'est tout un caméléon ! Tournez autour du poisson, du fromage, des fruits de mer, des produits en pâte feuilletée...

CANDIDAT IDÉAL POUR UN MARIAGE !

À quoi s'attend-on quand on débouche une bouteille de vin de 10-12 $? À ne pas faire la grimace à chaque gorgée ; à ne pas se retrouver en présence d'un produit sucré, peu acide et bourré de copeaux de bois ; à avoir du plaisir, à être satisfait, mais sans vraiment espérer que ce vin nous procurera de grandes émotions. Un « petit vin » restera un petit vin, même si vous le laissez vieillir en cave, même si vous l'aérez en carafe, même si vous le servez à la température adéquate… Donc, quand on paie une dizaine de dollars pour une quille, il ne faut surtout pas s'attendre à faire une génuflexion en la dégustant. Sur notre marché, dans cette fourchette de prix, de nombreux produits manquent de caractère, de personnalité et d'âme. Mais pas ce jeune chenin sud-africain !

Ce n'est certainement pas le plus expressif des vins blancs sur le plan aromatique, mais rien ne cloche et c'est tout à fait honnête comme flacon. De fins et délicats parfums de pomme verte, de gomme d'épinette, d'eau de Cologne, de miel de trèfle et d'eau d'érable s'entrelacent dans le verre. En rétro-olfaction, il libère des notes de fleurs blanches. Il est sec (sans sucre), franc, loin d'être complexe, mais sans complexe non plus. Vous avez un mariage à l'horizon ? Voici le candidat idéal pour « hydrater » savamment de nombreux « gorgotons », à petit prix !

BLANC

DANS LA MÊME LIGNÉE :
Domaine La Hitaire Chardonnay
Famille Grassa 2015
CODE SAQ : 12699031
PRIX : 11,55 $

3 359884 180054

The Pavillion Boschendal 2015

11,⁵⁵ $

ORIGINE
Coastal Region - Western Cape - Afrique du Sud

CÉPAGES
Chenin blanc, viognier

À SERVIR À
9-10 °C

CARAFE
-

À BOIRE AVANT
2018

SUCRE ET ALCOOL
5,2 g/l et 13,5 %

CODE SAQ
12698944

ACCORDS
Le candidat idéal pour un vins et fromages, lors du 5 à 7 d'une collecte de fonds pour une cause qui vous tient à cœur. Les convives seront comblés et son prix d'ami vous permettra de remettre plus de sous à la fondation lors de cette soirée.

UN PROFIL EXOTIQUE TOUT À FAIT CHARMANT.

Eh ciboulot que mon boulot de chroniqueur vino serait plus facile s'il y avait plus de produits comme celui-ci, à 10-12 $, sur les tablettes de la Société des alcools du Québec! Quelle réussite que ce blanc sud-africain à prix modique! Disons que Mathieu et moi n'avons pas eu à l'analyser pendant des heures pour le hisser dans le Top Vin de ce guide annuel. Il s'agit d'un vin très «grand public» qui rendra heureux de nombreux palais. Il aura aussi très bien sa place le midi, en restauration, servi au verre. Bien des «piquettes douteuses», coûtant 5-6 $ de plus la bouteille, ne lui arrivent pas à la cheville… Si vous prévoyez recevoir une foule d'amis pour une soirée festive et que vous n'avez pas le portefeuille de Donald Trump, misez les yeux fermés sur ce blanc du Nouveau Monde, fait presque uniquement de chenin blanc.

Vous serez charmé par ses effluves de citronnelle, de cire chaude et de miel. Le petit pourcentage de viognier dans l'assemblage lui confère un profil quelque peu confit et exotique tout à fait charmant. La bouche est ronde, enveloppante et élancée. Les 5 ou 6 g/l de sucre résiduel ne sont nullement dérangeants au gustatif. Donc, si vous êtes du genre à lever le «nez» sur les quilles à petit prix, vous changerez peut-être d'avis en goûtant celui-ci. Je vous conseille de le servir en dégustation à l'anonymat aux copains pour éviter les préjugés. Posez-leur les trois questions suivantes: D'où vient-il? Combien payeriez-vous pour ce vin? Et, le plus important: Est-ce qu'il vous plaît?

BLANC

DANS LA MÊME LIGNÉE:
Chenin Blanc
Robertson Winery 2015
CODE SAQ: 10754228
PRIX: 10,70 $

S. de La Sablette Marcel Martin 2015

11,⁶⁵ $

ORIGINE
Loire - France

CÉPAGE
Sauvignon blanc

À SERVIR À
8-9 °C

CARAFE
-

À BOIRE AVANT
2017-2018

SUCRE ET ALCOOL
3,8 g/l et 12 %

CODE SAQ
12525234

ACCORDS
Une simple, mais combien vitaminée salade du jardin ou un coloré assortiment de crudités fera très bien l'affaire devant cet agréable blanc du nord-ouest de la France.

3 176780 035376

FOUGÈRE, BASILIC, ROQUETTE ET MENTHE S'ENTRELACENT.

Ce jeune blanc de la vallée de la Loire n'a ni l'air ni la chanson d'un pénétrant riesling germanique, d'un saisissant savagnin jurassien ou d'un chardo à haute minéralité de Chablis. C'est donc sans tambour ni trompette (ni la moindre goutte de prétention!) qu'il se présente sous une coloration claire aux reflets quelque peu verdâtres. C'est simple, me direz-vous, et vous avez entièrement raison, mais sans aucun vice pour une fiole à moins de 12 $. C'est bon et on le boit sans trop se gratter la caboche, point. À mon humble pif, il est un cran supérieur à son frangin, signé par le même producteur, fait de muscadet, qui coûte 5 $ de plus. Sans la servir «tablette», servez cette Sablette fraîche, mais pas frette!

Autrefois, en Estrie, le printemps venu, nous récoltions des «têtes de violon» (crosses de fougère), et nous pouvons humer, dans ce vin, des arômes similaires à ces jeunes pousses de fougère. Le gazon fraîchement haché, les feuilles de basilic, la roquette et la menthe fraîche s'entrelacent aussi agréablement au nez. C'est franc, assez modeste, mais honnête et sans sucre. Donc, rien à vous décrocher la mâchoire, mais rien non plus à vous faire grimacer à chaque lampée. Je ne donne jamais de note au vin, mais, si c'était le cas, ce dernier aurait aisément obtenu la note de passage.

BLANC

DANS LA MÊME LIGNÉE :
Domaine La Hitaire Les Tours
Famille Grassa 2015
CODE SAQ : 00567891
PRIX : 10,65 $

```
3 359884 180016
```

Pathos
Tsantali 2014

11,⁷⁰ $

ORIGINE
Péloponnèse - Grèce

CÉPAGE
Moschofilero

À SERVIR À
7-8 °C

CARAFE
-

À BOIRE AVANT
2017-2018

SUCRE ET ALCOOL
2 g/l et 12,8 %

CODE SAQ
12700354

ACCORDS
Des petits beignets de fleurs de courgette et des poissons en tempura arrosés d'un splash de jus de citron lui seraient de bonne compagnie. Optez pour des produits panés ou frits pour réussir l'accord avec la texture crémeuse de ce vin.

Une rangée de vignes au vignoble Sainte-Pétronille à l'île d'Orléans.

GOMME D'ÉPINETTE, MIEL, CITRON CONFIT.

En avez-vous marre des milliers de chardonnays, sauvignons ou rieslings de la planète vin ? Êtes-vous du genre à n'avoir pas froid aux yeux, à aimer sauter en parachute, à vouloir sortir de votre zone qui est souvent un peu trop confortable ? Si c'est le cas, mettez la main sur un grüner veltliner autrichien, un vandal-cliche québécois, un furmint hongrois, un albariño ibérique ou, pourquoi pas, un moschofilero grec. Un moscho quoi ? Oui, oui, c'est une variété de raisin du Péloponnèse. D'ailleurs, si vous avez des copains qui font les « fins finauds » en se pétant les bretelles pendant les dégustations à l'anonymat, servez-leur ce blanc grec en leur souhaitant bonne chance !

On tombe d'abord sous le charme de son olfactif quelque peu particulier. Les parfums de gomme d'épinette, de cire chaude, de miel, de citronnelle et de citron confit se sont donné rendez-vous dans le verre. On a une sensation de sucrosité, mais le vin est pourtant bien sec en bouche (seulement 2 g/l de sucre résiduel). Un vin facile, assez simple, très « grand public » et pas très long en bouche, à boire dans les 10 à 15 mois suivant son achat. Comme l'acidité n'est pas énorme, je vous suggère de le servir un peu plus frais que d'habitude. Il aura ainsi plus de punch, de nervosité et de tonus en dégustation.

BLANC

DANS LA MÊME LIGNÉE :
Pinot Grigio Montalto
Mondo del Vino 2015
CODE SAQ : 12477746
PRIX : 11,90 $

8 030423 001959

Les vignes retrouvées Plaimont 2014

12,⁹⁰ $

ORIGINE
Saint-Mont - Sud-Ouest - France

CÉPAGES
Gros manseng, petit courbu, arrufiac

À SERVIR À
8-9 °C

CARAFE
-

À BOIRE AVANT
2018

SUCRE ET ALCOOL
3,8 g/l et 13 %

CODE SAQ
10667319

ACCORDS
Un fish & chips maison de tilapia, de doré ou de morue, arrosé d'un petit splash de jus de citron. Si vous plongez ces morceaux de poisson pané dans une sauce tartare aux cornichons, à la bière et à l'aneth, vous dynamiserez encore plus la symbiose avec ce fort agréable vin blanc.

ARÔMES DE LIME, DE POMME VERTE, DE GAZON FRAIS.

Quand on pense aux cépages blancs, on dirait que ce sont toujours les mêmes qui nous viennent en tête. Le très connu et très planté chardonnay, le parfumé et vigoureux sauvignon, le riesling qui est capable du meilleur comme du pire, l'élancé et gracieux chenin blanc, l'aguicheur et sensuel pinot gris, l'invitant et exotique viognier, l'intensément aromatique gewurztraminer… En fouillant un peu sur le site de la SAQ, vous découvrirez un très bon choix de vins blancs élaborés avec des variétés de raisin beaucoup moins connues. Des exemples? Un vidal du Québec, un grüner veltliner autrichien, un airén espagnol, un furmint hongrois, un arinto portugais, un torrontés argentin, une roussanne australienne ou même un éclectique assemblage comme celui que je salue ici. Il s'agit d'un blanc d'entrée de gamme fait de gros manseng, de petit courbu et d'arrufiac. Trois cépages très peu connus, qu'on ne trouve pratiquement que dans le sud-ouest de la France.

Ce floral, frais et quelque peu exotique vin de la nouvelle appellation d'origine Saint-Mont (depuis 2011) est tout à fait recommandable à 12-13 $. Arômes de lime, de pomme verte, de gazon frais… Aucun vieillissement sous bois n'a été effectué, juste un élevage en cuve inox. Moins de 3-4 g/l de sucre résiduel sont au rendez-vous. C'est donc vachement épuré et l'indice de «buvabilité» est assez élevé. Il a de petits airs de famille avec les vinho verde que l'on élabore dans le Portugal septentrional.

BLANC

DANS LA MÊME LIGNÉE :
La Gascogne
d'Alain Brumont
Vignobles Brumont 2015
CODE SAQ : 00548883
PRIX : 14,05 $

Albis
José Maria da Fonseca 2014

12,⁹⁵ $

ORIGINE
Péninsule de Setúbal - Portugal

CÉPAGES
Moscatel de Setúbal, arinto

À SERVIR À
7-8 °C

CARAFE
-

À BOIRE AVANT
2018

SUCRE ET ALCOOL
2,6 g/l et 12 %

CODE SAQ
00319905

ACCORDS
Des blinis de saumon fumé bien garnis de crème sure, de feuilles de basilic fraîches et de ciboulette ciselée. Beaucoup d'autres sortes de canapés et hors-d'œuvre lui conviendront aisément.

UNE « SAPRÉE » BONNE AUBAINE !

Il n'y a pas si longtemps, ce blanc portugais coûtait seulement 11-12 $… Consolons-nous en nous disant que, même à 13 douilles, c'est une « saprée » bonne aubaine et c'est à nous d'en profiter ! Le mot magique à retenir (si vous n'avez pas votre *Lapeyrie* en main !), c'est tout simplement « Albis ». Embouteillé par l'équipe de José Maria da Fonseca dans la péninsule de Setúbal, tout près de Lisbonne. Ce ne sont pas les mêmes membres de la famille Fonseca que ceux de la maison de Porto Fonseca, dans le nord du Portugal. Mais sachez que les Fonseca, dans ce pays, c'est comme les Tremblay au Saguenay–Lac-Saint-Jean ! Y en a beaucoup !

Ce 2014 m'a semblé plus vigoureux, moins exubérant et encore plus digeste que dans les deux ou trois millésimes précédents. C'est une petite perle à allonger en caisses de six pour les chauds après-midi ensoleillés sur la terrasse, au bord de la piscine. Sans vous décrocher la mâchoire ni vous faire faire une génuflexion, ce vin est sans fausse note ni complexe pour son petit prix. Le nez est invitant et les arômes primaires nous convient candidement à la dégustation. Pas un « grand vin », mais plutôt un vin « grand public » qui plaira à de nombreuses papilles. À boire dans les 18 à 24 mois après son achat.

DANS LA MÊME LIGNÉE :
Pinot Grigio Lumina
Ruffino 2014
CODE SAQ : 12270471
PRIX : 14,30 $

Coroa d'Ouro Poças 2015

13,⁸⁵ $

ORIGINE
Douro - Portugal

CÉPAGES
Malvoisie, codega, rabigato, moscato

À SERVIR À
10-11 °C

CARAFE
-

À BOIRE AVANT
2018-2019

SUCRE ET ALCOOL
1,8 g/l et 13 %

CODE SAQ
00412338

ACCORDS
Optez pour des créations culinaires tournant autour du poisson à chair blanche, des fromages, des pâtes feuilletées... Des fish & chips, un grilled-cheese, des vol-au-vent, un pâté au poulet, et patati et patata.

5 601085 900060

UN DES MEILLEURS À MOINS DE 15$

Au Québec, la consommation de vin blanc ne cesse d'augmenter. Elle représente *grosso modo* 23-24% des ventes de vin en volume à la SAQ. Grâce à un impressionnant choix de plus de 2 000 vins blancs (plus les milliers d'autres disponibles en importation privée), vous avez l'embarras du choix pour faire de belles découvertes. Je surligne en fluo le mot «découvertes». Sortez des sentiers balisés et essayez autre chose que la pléthore de chardonnays, sauvignons et rieslings qui sont en vente chez nous. Un furmint hongrois, un verdejo espagnol, un vandal-cliche québécois, un torrontés chilien ou un assemblage de malvoisie, de rabigato, de codega et de moscato, comme ce joli blanc du Portugal septentrional. Vous déstabiliserez et surprendrez assurément vos papilles et celles de vos convives avec un tel produit à si petit prix.

Ne le servez pas froid et vous profiterez de ses délicats effluves de pâte d'amande, d'agrumes et de fleurs blanches. Vous lui procurerez également un plus grand volume au gustatif en le servant à la température suggérée sur la page de gauche de ce texte. Ce n'est ni pâteux, ni boisé, ni sucré. C'est plutôt sphérique, gras, bien sec, plein de vie et bien *al dente*. Un vin blanc dont rien ne cloche, à hisser dans les meilleurs à moins de 14-15$ qui sont passés dans mon verre cette année!

BLANC

DANS LA MÊME LIGNÉE:
Chardonnay
Giuseppe Campagnola 2015
CODE SAQ: 12382851
PRIX: 13,90$

Castaño 2014

14,05 **$**

ORIGINE
Yecla - Murcie - Espagne

CÉPAGES
Chardonnay, macabeo

À SERVIR À
10-11 °C

CARAFE
-

À BOIRE AVANT
2018-2019

SUCRE ET ALCOOL
2,1 g/l et 12,5 %

CODE SAQ
10855758

ACCORDS
Les pêcheurs seront ravis de le servir avec une belle truite mouchetée ou arc-en-ciel en papillote. Garnissez-la d'oignon, d'herbes fraîches, de câpres, de jus de citron et de quelques millilitres de ce blanc ibérique.

8 422443 001215

UN BLANC-BEC TRÈS RÉUSSI.

La consommation (donc la vente) de vin blanc est en progression au Québec, et ce, à mon avis, pour plusieurs raisons. D'abord, il y a pas mal plus de choix que par le passé, et nous avons accès à des blancs de premier plan. De plus, nous ne les servons plus au glacial 3-4 °C du frigo, car nous avons compris qu'aux alentours de 10-12 °C, ces vins s'expriment beaucoup mieux. Il y aussi le fait que nous surveillons davantage notre alimentation. Si l'on mange plus de poisson, de salades et compagnie, on boit automatiquement plus de *vino blanco*! Les ventes de vin blanc, en volume à la SAQ, représentent à peu près 23-24 % des ventes totales.

Ce produit de la côte est de l'Espagne est un assemblage à parts égales de chardonnay et de macabeo. Il est élaboré dans une des zones viticoles qui cumulent le plus grand nombre d'heures d'ensoleillement annuellement. Des milliers d'hectares y sont plantés de vignes de mourvèdre, de grenache, de tempranillo, d'airén et de macabeo. La Bodegas Castaño, qui met en bouteille ce très réussi blanc-bec, propose quatre étiquettes sur notre marché. La minéralité est présente, c'est aérien, fort digeste, et nous sommes rapidement tombés sous son charme en le goûtant au printemps 2016.

BLANC

DANS LA MÊME LIGNÉE :
Unoaked Chardonnay
Château des Charmes 2013
CODE SAQ : 00056754
PRIX : 14,05 $

Ormarine, Les Pins de Camille Jeanjean 2015

14,⁵⁰ **$**

ORIGINE
Coteaux du Languedoc - Languedoc-Roussillon - France

CÉPAGE
Picpoul

À SERVIR À
8-9 °C

CARAFE
-

À BOIRE AVANT
2017-2018

SUCRE ET ALCOOL
1,3 g/l et 13 %

CODE SAQ
00266064

ACCORDS
Une salade de moules froides et de légumes croquants serait un bon agencement. Vous pourriez également en mettre une ou deux quilles de côté pour votre prochaine épluchette de blé d'Inde. Si les épis de maïs ne sont pas « noyés » dans le beurre salé, l'accord sera assez trippant.

3 186127 768690

VIGUEUR, ÉNERGIE ET ÉCLAT.

À l'instar du muscadet du Pays nantais ou du gamay du Beaujolais, le picpoul de Pinet languedocien est souvent mal aimé et surtout mal compris par de nombreux dégustateurs. Pourtant, il y a tellement de délicieux muscadets, d'exquis crus du Beaujolais et de fort rassasiants picpouls de Pinet! C'est à vous, les amis, de dénicher les bons producteurs, car, oui, il y a du bon et du moins bon, et l'on ne peut pas simplement se fier à l'appellation. La personne qui signe la bouteille reste le meilleur gage de qualité. Dans celle que je salue ici, vous aurez le savoir-faire quasi légendaire et la longue tradition vitivinicole de la famille Jeanjean.

Au nez, nous sommes à des années-lumière des envoûtants arômes d'un blanc fait de muscat, de torrontés ou de gewurztraminer. C'est peu bavard et fort discret. De légères émanations salines et iodées sont présentes. Tout le plaisir se retrouve au gustatif, car le vin allie vigueur, énergie et éclat. Ce produit est «nu comme un ver»! Pas de sucre résiduel (seulement 1,3 g/l) ni d'artifices apportés par les copeaux de bois pour masquer les défauts. *What you smell is what you get!* C'est loin d'être un grand vin, mais c'est encore plus loin d'en être un mauvais.

BLANC

DANS LA MÊME LIGNÉE:
Chaminé
Cortes de Cima 2014
CODE SAQ: 11156238
PRIX: 14,05 $

Gran Reserva Carmen 2015

14,⁹⁵ $

ORIGINE
Vallée de Leyda - Aconcagua - Chili

CÉPAGE
Fumé blanc

À SERVIR À
8-9 °C

CARAFE
-

À BOIRE AVANT
2018-2019

SUCRE ET ALCOOL
1,3 g/l et 13,5 %

CODE SAQ
11767856

ACCORDS
Quelques truites mouchetées ou arc-en-ciel entières, bien enrobées dans une papillote avec des oignons, un splash de ce vin blanc, du jus de citron, quelques herbes fraîches... Gageons que votre week-end de pêche avec les copains ne finira pas en queue de poisson !

0 677758 000004

FRUITS EXOTIQUES, AGRUMES, PÂTISSERIE, MIEL CHAUD.

Quant à la maturité et à la période de vendange, certains cépages sont plus précoces, et d'autres, plus tardifs. Le cabernet sauvignon, par exemple, est toujours parmi les derniers à être récolté, vers le mois d'octobre en général (et aux alentours du mois d'avril dans l'hémisphère Sud). Quant au sauvignon, il pourrait être prêt à la cueillette dès la fin août (février ou mars dans l'hémisphère Sud). Comme ce cépage est en général assez résistant aux maladies de la vigne, qu'il mûrit rapidement et qu'il n'est habituellement pas vieilli en fût de chêne, il s'avère très intéressant (et payant!) à cultiver pour les vignerons. Comme par hasard, il est en grande demande depuis 7-8 ans auprès des consommateurs de «bon temps»! Et rappelez-vous que, un peu comme pour le vin rosé, le sauvignon blanc n'est pas exclusivement réservé à la gent féminine!

Ce qui charme dans ce verre de blanc chilien est sans équivoque ses envoûtants parfums de fruits exotiques, pelures d'agrume, chair de pamplemousse, pâtisserie, miel chaud… La bouche est franche, nette et sans flafla artificiel. Il est excitant et son acidité lui donne de l'énergie et du tonus. Comment diable peut-on élaborer un si brillant et si vigoureux vin blanc dans un pays aussi chaud que le Chili? C'est simple : les vignes, qui sont à la base de ce produit, sont plantées à 14 kilomètres à vol d'oiseau de l'océan. Cette région côtière profite de bons écarts thermiques entre le jour et la nuit. Donc, beaucoup de fraîcheur due au courant d'air rafraîchi par l'eau froide de l'océan Pacifique. Ce qui confère élégance et éclat au vin. La quasi-totalité des bons pinots, chardos ou sauvignons de ce pays sont issus de zones viticoles situées non loin de la mer.

BLANC

DANS LA MÊME LIGNÉE :
Las Brisas
Bodegas Naia 2014
CODE SAQ : 11903627
PRIX : 16,75 $

0 858669 000714

Domaine du Tariquet Château du Tariquet 2015

14,⁹⁵ $

ORIGINE
Côtes de Gascogne - Sud-Ouest - France

CÉPAGE
Sauvignon blanc

À SERVIR À
8-9 °C

CARAFE
-

À BOIRE AVANT
2018-2019

SUCRE ET ALCOOL
3,3 g/l et 12 %

CODE SAQ
00484139

ACCORDS
Une assiette de fromages avec des juliennes de pomme verte, quelques abricots séchés et une ou deux poignées d'amandes, ou encore des sushis ou une de vos nombreuses recettes tournant autour des crevettes, du homard, du crabe, lui conviendront très bien.

3 359880 123314

DROIT, NET, ÉNERGIQUE ET TOUT EN FRAÎCHEUR.

La belle réputation des vins et des armagnacs de la famille Grassa est reconnue aux quatre coins de la planète vin. Cette famille met en bouteille des blancs alliant droiture, pureté et tension, ainsi qu'un floc de Gascogne mûr et confit à souhait. Sans oublier leurs eaux-de-vie mondialement reconnues. Le domaine familial possède, en plein cœur de la Gascogne, plus de 1 000 hectares de vignes. Tant qu'à être dans le «sujet-verbe-compliment» (comme dirait le grand Michel Phaneuf), on peut affirmer que, pour 10-11 $, la cuvée Les Tours, des frangins Grassa, est toujours et encore le meilleur blanc sec à ce prix à la SAQ. Un vin à petit prix, idéal pour les réceptions de nombreux convives. C'est un produit régulier (sur les tablettes en fer), donc disponible dans plus de 300 des 400 succursales du Québec.

Encore cette année, le sauvignon du Domaine du Tariquet affiche une agréable précision ainsi qu'un mordant gustatif rempli de vie. Si vous êtes un aficionado de blanc boisé, hypergras et un brin sucré, vous resterez totalement sur votre soif avec ce type de produit. Ses 3-4 g/l par litre de sucre résiduel ne sont pratiquement pas perceptibles, car ce vin possède l'acidité et le tonus qui l'empêchent de devenir pâteux et lourdaud. Il libère de notes de lime, de pamplemousse, de pomme verte, de gazon frais, de jus de citron… Bref, c'est droit, net, énergique et tout en fraîcheur. La bouteille est coiffée d'une capsule dévissable, ce qui minimise à presque 100 % les risques que le vin soit atteint de TCA 2, 4, 6 (vin bouchonné). Mettez de la couleur dans votre dimanche de juillet, en pique-nique sur les plaines, en le glissant dans le froid de votre glacière.

DANS LA MÊME LIGNÉE :
Borsao Blanco Seleccion
Bodegas Borsao 2014
CODE SAQ : 10856161
PRIX : 13,95 $

Château Pajzos 2014

15,15 $

ORIGINE
Tokaj - Hongrie

CÉPAGE
Furmint

À SERVIR À
10-11 °C

CARAFE
-

À BOIRE AVANT
2018

SUCRE ET ALCOOL
4,9 g/l et 11,5 %

CODE SAQ
00860668

ACCORDS
Des croquettes de poisson pané,
accompagnées de quartiers de citron ou
d'une mayonnaise à l'aneth ou à la lime.
Un plateau de fromages de chez nous lui
ferait également très belle figure.

Une des classes de sommeller
de l'École hôtelière de la Capital

ÉPURÉ, CARESSANT!

On a tous un ami ou un beau-frère qui commence peu à peu à tripper sur le vin. Il goûte un produit qu'il adore, il en achète une ou deux caisses en vous disant : «Ça, là, c'est MON vin!» Il en boit la semaine, le week-end, pendant quelque temps, puis il finit par s'en lasser… Est-ce parce que le vin est mauvais? Pas du tout : le gars s'est juste tanné! Le vin, c'est la découverte, la nouveauté, l'audace de goûter autre chose et de sortir de sa zone de confort en ouvrant une quille différente semaine après semaine.
N'oubliez pas que la plus belle qualité d'un épicurien (ou même d'un sommelier professionnel!), c'est sa curiosité! Il faut fouiner, lire, fouiller, déguster, questionner… Donc, si j'ai un conseil à vous donner, c'est de ne pas racheter le même vin semaine après semaine ; sortez des sentiers balisés en y allant avec des cuvées moins connues! Mon amoureuse fait probablement la meilleure lasagne du monde, mais diable que je n'en mangerais pas tous les soirs! C'est la même chose pour le vin : diversifiez vos achats.

En parlant de sortie de zone de confort, voici un bon exemple. Un fur… quoi? Un furmint! C'est un cépage qui abonde en terroir hongrois. Il donne des vins moelleux et liquoreux, mais également des vins secs (celui que je salue ici a quand même presque 5 grammes de sucre par litre). On sent des émanations de fleurs blanches, de citronnelle (vous savez, les bougies qu'on met sous les tables à pique-nique pour éloigner les moustiques), de cire chaude, de miel… On dénote même certains parfums légers rappelant les raisins atteints de botrytis. Le produit est épuré, sans bois, fort caressant et, selon moi, un tantinet supérieur aux millésimes précédents. Bien, très bien pour 15 $!

BLANC

DANS LA MÊME LIGNÉE :
Passo Blanco 2014
Masi
CODE SAQ : 12355431
PRIX : 14,95 $

8 002062 001768

35

Genolí Ijalba 2015

15,⁶⁵ $

TOP VIN

ORIGINE
Rioja - Espagne

CÉPAGE
Viura

À SERVIR À
8-9 °C

CARAFE
-

À BOIRE AVANT
2018-2019

SUCRE ET ALCOOL
1,3 g/l et 13 %

CODE SAQ
00883033

ACCORDS
Imaginez le *set-up*, les *boys* ! « Kidnappez »
votre amoureuse l'instant d'un après-midi
ensoleillé de juillet et allez lui roucouler
quelques mots doux sous les pommiers de
l'île d'Orléans… J'aime ! Et on mange
quoi ? Des guédilles de homard ou une
belle assiette de sushis bien frais. Elle
pliera du genou et ses papilles frémiront
de bonheur…

LA LUMINOSITÉ D'UN CIEL AZUR!

Les amoureux de vins blancs ayant quelques cuillerées de sucre résiduel, aux arômes de crème à bronzer «spécial» noix de coco et caramel, doivent savoir que ce blanc-bec ibérique n'est pas pour eux! En effet, celui-ci n'a pas besoin de tambour, ni de trompette, ni de maquillage technologique pour se faire remarquer… C'est un vin discret, peu bavard, timide, mais combien efficace en dégustation! Disons qu'il a l'énergie du «chien de tête» et la luminosité d'un ciel azur! Sans avoir l'attitude ni la grâce d'un chablis à grande minéralité, le mordant d'un sancerre ou le racé d'un chardo jurassien, il a tout de même, sans équivoque, de petits airs de famille avec eux. Si vous connaissez ce genolí exclusivement fait de viura (cépage aussi appelé «macabeu» ou «macabeo» dans le sud de la France), vous savez probablement qu'il coûtait 12,95$ à son arrivée. Même à 15$ et quelques, ce vin est encore et toujours une des plus belles emplettes dans sa catégorie!

Franc, droit, net, *bone dry* comme disent les collègues anglophones, et sans finale cahoteuse en bouche. Ciboulot que Mathieu et moi avons eu du fun en dégustant ce vin au début de l'été 2016! La splendide récolte 2015 a-t-elle quelque chose à voir là-dedans? Oui, certain! J'ai rapidement senti de beaux effluves de jus de lime, de pomme verte et de zeste de citron. C'est précis, de belle acidité et vibrant en bouche. Pas de flafla pâteux qui le rendrait lassant à boire. Son sage 13%, son minime 1,3 g/l de sucre, sa pureté aromatique et gustative, s'inviteront très bien à l'apéro! Probablement le plus épanoui et réussi millésime du Genolí que j'ai goûté à ce jour. Top!

BLANC

DANS LA MÊME LIGNÉE:
Chardonnay Domaine Cibadiès
Vignobles Bonfils 2015
CODE SAQ: 12284741
PRIX: 16,20$

3 443660 001722

Piedra Negra François Lurton 2016

15,⁹⁵ $

ORIGINE
Vallée de Uco - Mendoza - Argentine

CÉPAGE
Pinot gris

À SERVIR À
9-10 °C

CARAFE
-

À BOIRE AVANT
2018

SUCRE ET ALCOOL
3,4 g/l et 12 %

CODE SAQ
00556746

ACCORDS
On se demande souvent quoi boire avec une belle sélection de sushis bien frais. Eh bien, voici le candidat idéal pour ce mets d'inspiration japonaise. Canapés et hors-d'œuvre de 5 à 7 lui conviendront aussi très bien.

0 635335 364017

CANDIDAT IDÉAL POUR LES SUSHIS.

On croit souvent, à tort, que le pinot gris n'est produit qu'en sol alsacien ou dans la partie septentrionale de l'Italie. Sans être présent sur des milliers d'hectares comme ses «cousins germains», les sauvignons et les chardonnays de ce monde, le pinot gris est cultivé sur de nombreux terroirs de la planète vin : en Allemagne (sous le nom de ruländer), en Autriche, en Ontario, en Hongrie, un peu dans la vallée de la Loire et en Californie, ainsi que dans certains climats plus frais de l'Argentine. La couleur des baies du pinot gris n'est pas seulement verte, contrairement à la plupart des cépages blancs. Ces baies varient entre des teintes rosées, verdâtres et bleu-gris. C'est pour cette raison que les vins blancs faits de cette variété de raisin sont souvent assez foncés.

Cette cuvée, baptisée «Piedra Negra», est issue d'un sol aux pierres noires ou foncées. Le vin est confit, exotique, floral et fort séduisant au nez. Au gustatif, on aime son côté frais, aérien, digeste, facile et fort caressant pour le palais. Un produit sans sucre résiduel (plus ou moins 3 g/l) et sans bois, aux discrets 12 % d'alcool.

BLANC

DANS LA MÊME LIGNÉE :
Viognier The Y series
Yalumba 2014
CODE SAQ : 11133811
PRIX : 16,95 $

9 311789 475974

Chéreau Carré 2014

16,¹⁰ $

ORIGINE
Muscadet Sèvre et Maine sur Lie - Loire - France

CÉPAGE
Muscadet

À SERVIR À
9-11 °C

CARAFE
-

À BOIRE AVANT
2020-2021

SUCRE ET ALCOOL
2,4 g/l et 12 %

CODE SAQ
00365890

ACCORDS
Une salade de crevettes, de moules, de couteaux des îles de la Madeleine et sa vinaigrette aux agrumes et au vinaigre de Xérès sauraient lui faire de l'œil ! Une géante et vitaminée assiette de crudités bien fraîches sur une nappe à carreaux, et ce vin blanc glissant et épuré ferait assurément une «pique-niqueuse heureuse»... Ne faites surtout pas l'erreur de le servir trop froid, car il resterait muet sur le plan aromatique. C'est déjà un timide d'avance !

UN TABAC SUR DES FRUITS DE MER
OU DU POISSON CRU!

Si je servais ce lumineux et énergique blanc à ma petite sœur, elle me dirait probablement que ça ne goûte rien. Je sais exactement ce qu'Édith aime en matière de bulles, de blancs, de rouges, de sucreries… Quoi? On s'aime et on boit du vin ensemble depuis maintenant un quart de siècle! Elle affectionne les vins ayant séjourné en barrique, les vins avec courbes caressantes et quelques petits grammes de sucre résiduel. Celui que je salue ici n'est pas de son style. Il est complètement sec, sans apport de bois dû à un élevage en fût de chêne, et tendu comme un soldat au garde-à-vous. Donc, si vous croyez avoir les mêmes goûts que mon adorable sœurette, restez loin de ce tendu et vibrant blanc-bec de la vallée de la Loire!

Dès l'ouverture de la bouteille, on détecte rapido des arômes de coquillages marins, de craie à tableau et de pommes vertes bien croquantes. Une certaine pureté aromatique et gustative est au rendez-vous. Son côté salin, quelque peu iodé, sa droiture et sa tonicité, feront un tabac à table sur des fruits de mer en coquille ou des entrées de poisson cru. Même s'il a des airs de famille avec certains aligotés ou même certains chardonnays de Chablis, la plupart des dégustateurs chevronnés devraient mettre le doigt sur un muscadet du Pays nantais en dégustation à l'anonymat. Il est bien représentatif de cette formidable variété de raisin qu'est le muscadet (aussi appelé localement «melon de Bourgogne», car ses feuilles rondes font penser à des melons). En plein le genre de blanc qu'on va verser dans mon verre incassable en polymère, dans la chaloupe (à rames!), avec les copains, quand nous irons taquiner la mouchetée à la fin mai!

BLANC

DANS LA MÊME LIGNÉE:
Vidal du Ridge
Domaine du Ridge 2014
CODE SAQ: 11679135
PRIX: 16,90$

Domaine Bellevue 2015

16,⁶⁵ $

ORIGINE
Touraine - Loire - France

CÉPAGE
Sauvignon blanc

À SERVIR À
9-10 °C

CARAFE
-

À BOIRE AVANT
2018-2019

SUCRE ET ALCOOL
2,2 g/l et 12,5 %

CODE SAQ
10690404

ACCORDS
Jouez la carte de la simplicité en allongeant une nappe à carreaux, cette fiole de la Loire, une assiette de crudités ou de fromages de chez nous. Notez, messieurs, que bien des dames craquent pour le pique-nique en nature...

3 760090 860058

PARFAIT POUR L'APÉRO.

Parmi les cépages blancs les plus connus du grand public, on peut mentionner le chardonnay, le riesling, le pinot gris, mais il ne faudrait pas oublier le célèbre sauvignon blanc, très planté un peu partout sur la planète vin. Aussi appelé «fumé», «sauvignon» ou «fumé blanc» dans différentes régions du globe, cette variété de raisin s'est fait de nombreux disciples ces 10-15 dernières années au Québec. Les blancs faits de sauvignon sont souvent à bonne expression et de belle pureté aromatique. En jeunesse, la plupart sont vigoureux et énergiques. Bref, quand c'est bien fait, sans sucre et sans bois (ou pas trop!), c'est parfait pour l'apéro avec quelques canapés, mais également avec les entrées froides. Je dis bien «quand c'est bon», car beaucoup sentent la conserve d'asperges ou juste le jus de pamplemousse à pleines narines…

Même s'il y en a beaucoup dans le monde, les meilleurs sauvignons se trouvent habituellement en Nouvelle-Zélande, à Bordeaux, dans certaines régions côtières chiliennes, mais aussi, et surtout, dans l'est de la vallée de la Loire. Vous n'avez qu'à penser aux blancs de Sancerre, de Pouilly-Fumé, de Menetou-Salon ou de Touraine. Voici justement un joli blanc-bec tourangeau pour vous! En plus d'être très recommandable, il est fort abordable. On aime ses invitants arômes de pâte d'amande, de poire chaude, et ses notes de gazon fraîchement haché. La texture est là, c'est passablement onctueux et bien rond au gustatif. Pas d'élevage en barrique ni de sucre résiduel. C'est sec, *al dente*, épuré, digeste, facile, et sans grandes promesses qu'il ne pourrait de toute façon pas tenir.

BLANC

DANS LA MÊME LIGNÉE :
Pinot Blanc Five Vineyards
Mission Hill 2014
CODE SAQ : 00300301
PRIX : 18,00 $

New Harbor 2014

16,⁸⁵ $

ORIGINE
Marlborough – Nouvelle-Zélande

CÉPAGE
Sauvignon blanc

À SERVIR À
8-9 °C

CARAFE
-

À BOIRE AVANT
2017-2018

SUCRE ET ALCOOL
4 g/l et 13,5 %

CODE SAQ
11184992

ACCORDS
Une casserole de moules marinière, un assortiment de sushis bien frais ou une salade de calmars mouillée d'une vinaigrette d'agrumes...

0 087000 408784

EXPRESSIF ET AGRÉABLEMENT PARFUMÉ.

Si je devais quitter la ville de Québec, j'emmènerais sûrement ma petite famille dans l'île du Sud, en Nouvelle-Zélande. Je suis tombé amoureux de cet endroit lors d'un voyage au printemps 2010. On y mange très bien, les gens sont d'une gentillesse désarmante, les paysages sont magnifiques, et on y trouve d'élégants pinots noirs, d'épurés chardonnays et d'aguicheurs et invitants sauvignons blancs. C'est vraiment le paradis, ces deux îles de l'Océanie! Sachez que le sauvignon est la variété de raisin la plus plantée dans ce superbe pays, soit 20 000 des 36 000 hectares de vignes.

Il est faux de dire que ce vin blanc est «assez fort pour lui, mais conçu pour elle», mais disons que quelques copines deviendront assez rapidement ricaneuses en sa présence, au bord d'une piscine ensoleillée! Dès le premier coup de nez, vous vous apercevrez que le vin est ouvert, expressif et agréablement parfumé. Des arômes primaires de chair de pamplemousse, de pomme verte, de zeste de citron et de gazon fraîchement coupé se sont donné rendez-vous à l'olfactif. La bouche possède de la vigueur, du tonus et une acidité franche. On ne tombe pas dans l'appât du sucre inutile, car il y a seulement 4 g/l de sucre résiduel. Trois mots pour bien résumer ce produit: juin, juillet, août!

BLANC

DANS LA MÊME LIGNÉE:
Basa
Telmo Rodríguez 2015
CODE SAQ: 10264018
PRIX: 17,90$

8 420759 900017

Hermanos Lurton 2014

17,⁰⁰ $

ORIGINE
Rueda – Castille-et-León - Espagne

CÉPAGES
Verdejo, sauvignon blanc, viura

À SERVIR À
9-10 °C

CARAFE
-

À BOIRE AVANT
2018

SUCRE ET ALCOOL
3,1 g/l et 13 %

CODE SAQ
00727198

ACCORDS
Des canapés de bienvenue tournant autour du poisson, du fromage, des blinis de saumon fumé, des allumettes au fromage, des sushis maison...

0 635335 205020

IL NE VOUS FERA PAS HONTE DEVANT LA VISITE!

Depuis 5-6 ans, l'appellation ibérique Rueda fait la pluie, mais surtout le beau temps au Québec! Ces derniers mois, vous avez été nombreux à me poser des questions par courriel à propos d'une variété de raisin qui abonde là-bas et qui donne des vins blancs charmants alliant vigueur, énergie et «méga-glouglouboubilité», le verdejo. En dégustation, nous avons presque toutes et tous succombé immédiatement au charme d'un blanc de cette zone viticole, la Rueda. On peut aisément comparer le verdejo au sauvignon blanc. Le côté pomme verte et les notes de citron et de jus de limette pourraient les faire passer pour des frangins, mais ce n'est pas le cas. Ils n'ont aucun lien de parenté, mais leurs palettes aromatiques sont fort similaires. Donc, Rueda est une zone située entre Toro et Ribera del Duero, qui fait du blanc bien sec (à moins de 4 g/l de sucre résiduel après fermentation alcoolique).

Sous la capsule à vis de ce vin de Castille-et-León se dissimule un blanc dont vos papilles se souviendront longtemps! Il ne se prend pas pour une grande cuvée de la Loire, d'Alsace ou de Bourgogne, mais je vous assure qu'il ne vous fera pas honte devant la visite à l'apéro, sur quelques hors-d'œuvre! En bouche comme au nez, ce sont les flaveurs du petit quartier de lime verte qu'on met sur le goulot des Coronas qui nous charme rapido. Rien ne cloche, c'est droit, pur, franc, «tout nu» et sans grandes promesses. Le vin n'a pas été sous bois, seulement en cuve inox.

BLANC

DANS LA MÊME LIGNÉE:
Verdejo
Comenge 2015
CODE SAQ: 12432601
PRIX: 16,90 $

Blanc de Blancs Château Ksara 2014

17,³⁵ $

17,³⁵ $

ORIGINE
Vallée de la Bekaa - Liban

CÉPAGES
Chardonnay, sauvignon blanc, sémillon

À SERVIR À
10-11 °C

CARAFE
20-30 minutes

À BOIRE AVANT
2018

SUCRE ET ALCOOL
2,5 g/l et 13 %

CODE SAQ
10210677

ACCORDS
De nombreux plats de terrasse estivaux lui conviendront très bien. Salades du jardin, assiette de crudités, calmars frits, feuilleté au fromage, cocktail de crevettes fraîches...

MIEL CHAUD, PÂTE D'AMANDE, PAIN EN CUISSON...

Ce blanc libanais, c'est comme un fragment de la Bourgogne et du Bordelais dans un seul verre! En effet, l'assemblage est dominé par le chardonnay à 60%, mais le tout est complété par les deux cépages blancs dominants de Bordeaux, le sémillon et le sauvignon. En le servant à la bonne température, vous n'aurez pas besoin de le humer à maintes reprises pour trouver de fort jolis arômes, car ce vin est bien expressif. Si, tout comme moi, vous adorez les vins français, italiens, ibériques et germaniques, vous devriez succomber au charme immédiat de ce blanc libanais. Sortez donc de vos confortables pantoufles et mettez la main sur cette quille!

Le nez est hors du commun, très invitant, floral et fort mellifère. On a envie de prendre le vin en bouche. Miel chaud, pâte d'amande, cire à chandelle, pain en cuisson... Et je pourrais en rajouter, car le vin libère une multitude de parfums hyperséduisants! Du gras en bouche, une belle dose de minéralité, de la vie, tout ça sous le même bouchon! Un très bon produit issu de la vallée de la Bekaa, fort plaisant. Je me promets d'y goûter avec plaisir chaque année.

BLANC

DANS LA MÊME LIGNÉE:
San Vincenzo
Anselmi 2015
CODE SAQ: 00585422
PRIX: 17,90$

Cline
2014

18,00 $

ORIGINE
Californie - États-Unis

CÉPAGE
Viognier

À SERVIR À
9-10 °C

CARAFE
-

À BOIRE AVANT
2018-2019

SUCRE ET ALCOOL
6,5 g/l et 14 %

CODE SAQ
11089792

ACCORDS
Une soupe-repas de poulet à la thaï ou un pad-thaï de crevettes lui seraient en bonne harmonie. Donc, le lait de coco, le gingembre, la coriandre, la citronnelle, et patati et patata...

LE CHARME CALIFORNIEN.

Ce vin est aussi charmant que son histoire… La bouteille est signée par Nancy et Fred Cline (parents de sept enfants!), qui dirigent avec brio ce domaine californien. Le grand-père de Fred se nommait Valerio Jacuzzi. Oui, l'inventeur du fameux spa! C'est lors d'une visite chez son grand-papa que Fred est tombé sous le charme de la magnifique région viticole de Sonoma, dans le nord de la Californie. Le domaine travaille principalement des cépages rhodaniens (syrah, roussanne, grenache, viognier, mourvèdre, marsanne), mais signe également des cuvées faites de vieilles vignes de zinfandel. J'aime leur gamme de vins! Les Cline travaillent bien et leurs produits sont à cent lieues d'être maquillés et *too much*, contrairement à certains de leurs collègues des USA…

Nous sommes en présence d'un viognier qui s'avère assez discret (ce qui est plutôt rare pour les vins blancs issus de ce cépage!), mais de délicats parfums de litchi, de fruits en conserve, de pêche et d'abricot se font sentir. L'attaque en bouche est ronde, gourmande, enveloppante, fraîche et sans lourdeur. Les 7 g/l de sucre résiduel ne sont nullement un obstacle à la dégustation. Son petit côté confit et exotique fera un *hit* sur les recettes d'inspiration thaïlandaises.

BLANC

DANS LA MÊME LIGNÉE :
Viognier Cazal Viel
Henri Miquel 2014
CODE SAQ : 00895946
PRIX : 17,90$

3   3577780   000421

Attitude Pascal Jolivet 2015

18,²⁰ $

ORIGINE
Loire – France

CÉPAGE
Sauvignon blanc

À SERVIR À
10-11 °C

CARAFE
-

À BOIRE AVANT
2018-2019

SUCRE ET ALCOOL
2,8 g/l et 12,5 %

CODE SAQ
11463828

ACCORDS
Une belle assiette de linguine aux fruits de mer lui ferait belle figure à table. Donc, pâtes *al dente* en sauce blanche et pétoncles, crevettes, moules, calmars... alouette !

AU SOMMET DE SA FORME !

Les versions 2012 et 2013 de ce blanc de la Loire avaient été bonnes, très bonnes ! Eh bien, ce 2015 les surpasse ! En fait, ce sauvignon sans appellation peut aisément faire un candide pied de nez à certains sancerres ou pouilly-fumé (à 25-30 $ la quille !) qui manquent un peu de punch, de vigueur et d'énergie. Il est au sommet de sa forme. Si vous aimez les blancs faits de ce cépage, il serait bien dommage de passer tout droit devant une tablette qui en est garnie ! N'oubliez pas que, s'il y a une variété de raisin qui peut aussi bien être adorable que détestable, c'est le sauvignon blanc. Il faut le dire, il y en a de très mauvais. Nous en avons dégusté plus d'une quarantaine pendant le marathon de dégustation de la «cuvée» 2017 du *Lapeyrie*, et, croyez-moi, plusieurs nous ont fait grimacer de «douleur» ! Par contre, quand c'est bon, c'est bon en ciboulot, et ce blanc-bec, signé habilement par Pascal Jolivet, en est un parfait exemple.

Donc, pas d'exubérants parfums de jus de pamplemousse qui vous sautent au nez ni de déplaisantes notes d'asperges en boîte, contrairement à un grand nombre de ses collègues du Nouveau Monde et même parfois du Vieux Continent. Le nez est fin, timide, délicat, et il offre de charmants effluves de fruits à chair blanche, de craie à tableau, ainsi que des émanations florales bien invitantes. Il n'est ni agressif, ni trop vif ou hyperacide. C'est rond, caressant pour le palais, et vachement bon !

BLANC

DANS LA MÊME LIGNÉE :
Atlantis
Domaine Argyros 2015
CODE SAQ : 11097477
PRIX : 19,55 $

Cuvée des Conti Château Tour des Gendres 2014

18,²⁰ $

ORIGINE
Bergerac sec - Sud-Ouest - France

CÉPAGES
Sémillon, sauvignon blanc, muscadelle

À SERVIR À
12 °C

CARAFE
Au moins 30 minutes

À BOIRE AVANT
2023-2024

SUCRE ET ALCOOL
1,8 g/l et 13,5 %

CODE SAQ
00858324

ACCORDS
Sa caressante texture en fera un candidat idéal pour une romantique fondue au fromage en tête à tête. Il ferait également un *hit* sur un assortiment de fromages 100 % Québec !

3 760090 284212

UN BIJOU.

Nous sommes nombreux à chigner et à grogner contre l'augmentation du prix des vins à la SAQ. Ajustements de l'euro et hausse du dollar sont souvent montrés du doigt par les dirigeants du monopole. C'est vrai qu'il est choquant de s'apercevoir que le vin blanc de cette page coûtait 15 huards il y a moins de 10 ans et qu'aujourd'hui il frôle les 19 $… Cela représente une hausse de facture de tout près de 25 %, c'est énorme ! Le vin est-il meilleur, plus rare ou plus difficile à élaborer ? Pas vraiment, non ! Je crois que l'on pousse simplement le bouchon un peu trop profondément dans la bouteille… Quoi qu'il en soit, même à ce prix, ce blanc de la famille de Conti est toujours aussi accompli, épanoui et bourré d'énergie que dans les récoltes précédentes.

Ce bijou de la région de Bergerac est devenu une solide référence et un choix avisé quant aux vins disponibles à longueur d'année sur nos tablettes. Comme son nez est quelque peu timide à la première approche, je vous conseille de dégourdir le vin une demi-heure en carafe. Des émanations de cire chaude, de miel, de citronnelle et de fleurs blanches se sont donné rendez-vous à l'olfactif. Le toucher de bouche est rond, gras, huileux, et la finale, longue et persistante. C'est bien sec, net, droit. Tellement mon genre de vin blanc !

BLANC

DANS LA MÊME LIGNÉE :
Château de Ripaille
2015
CODE SAQ : 00896720
PRIX : 18,60 $

8 000852 000113

Anthìlia Donnafugata 2014

18,55 $

ORIGINE
Sicile - Italie

CÉPAGES
Ansonica, catarratto

À SERVIR À
8-10 °C

CARAFE
-

À BOIRE AVANT
2018-2019

SUCRE ET ALCOOL
4,2 g/l et 12,5 %

CODE SAQ
10542137

ACCORDS
Un sauté thaï aux crevettes, au porc ou au poulet ferait une belle liaison avec ce blanc de l'Italie méridionale. Tournez autour du gingembre, du sésame, du cari, des arachides, et patati et patata, et vous crierez : « Eurêka ! »

UN TRÈS BON VIN DE GASTRONOMIE.

Saviez-vous que la Sicile produit plus de vin que toute l'Australie ? En effet, on élabore plus de 8 millions d'hectolitres sur cette île, la plus grande de la Méditerranée. Avec ses 150 000 hectares de vignes plantées, le paysage viticole sicilien produit pas moins de 20 % des vins italiens. Si votre dernière dégustation d'une bouteille de cette région remonte à 10-15 ans, avec un marsala début de gamme, vous vous devez de goûter un rouge ou un blanc des vignobles Planeta, De Bartoli, Cusumano, Mazzei ou Donnafugata pour vous convaincre que le terroir sicilien est apte à produire des crus formidables.

Ce blanc hyperexotique est fait de cépages peu connus du grand public, soit le catarratto et l'ansonica. Il possède des similitudes aromatiques avec les vins faits à base de muscat ou de viognier. Des notes de raisins frais et croquants de supermarché, de fruits à chair blanche et d'eau de Cologne sont présentes. Sa tenue de bouche est impeccable, car la texture est généreuse, et une belle acidité est au rendez-vous. Cette dernière fait souvent défaut aux vins de climat aussi chaud que celui de la Sicile. Vous pourriez le servir en guise d'apéro pour faire plier le genou des invités, mais il aura davantage sa place à table, car il s'agit selon moi d'un très bon vin de gastronomie.

BLANC

DANS LA MÊME LIGNÉE :
La Segreta
Planeta 2014
CODE SAQ : 00741264
PRIX : 16,95 $

Réserve Willm 2015

18,70 $

ORIGINE
Alsace - France

CÉPAGE
Riesling

À SERVIR À
10 °C

CARAFE
-

À BOIRE AVANT
2019-2020

SUCRE ET ALCOOL
4,8 g/l et 12 %

CODE SAQ
00011452

ACCORDS
La bouche de ce vin possède une texture juste assez suffisante pour nous permettre d'effectuer des symbioses avec les fromages, mais aussi avec un poisson en sauce cuit au four.

VOUS SEREZ AUX ANGES !

Tout jeune, je m'amusais à jouer dans les rangées de vignes avec mon oncle Pierrot et mon grand-père Francis, à Calvi, dans le nord-ouest de la Corse. Curieux, je leur posais mille et une questions et ils me répondaient toujours gentiment et patiemment. C'étaient mes premiers contacts avec la viticulture. J'avais 7 ou 8 ans, l'énergie et la fougue d'un caniche qui vient de s'enfiler deux expressos bien tassés ! Par la suite, une fois adulte, mon premier boulot, avec mes bottes à tuyau et mon sécateur, fut chez Seppi Landmann, dans le sud de l'Alsace. Au printemps 2001, fraîchement diplômé en sommellerie à l'ITHQ, j'ai fait un stage de quelques semaines chez lui. Il faut savoir que cet homme est devenu une légende vivante et un véritable *wine star* du grand cru Zinnkoepflé et de la Vallée Noble, en terroir alsacien ! Ce vigneron parle de son terroir avec une extraordinaire conviction, et sa conception du vin est tout simplement exceptionnelle. Je te dis d'ailleurs un gros merci, Seppi, pour avoir «misé» une ou deux quilles de riesling sur le petit «Beaujo Nouvo» que j'étais à l'époque, en me laissant façonner tes pieds de vigne. Depuis mon mémorable stage chez lui, à Soultzmatt, il y a déjà 15 ans, mon respect pour le travail de la vigne a pris une solide envergure !

Vous aurez compris que je suis éperdument amoureux de l'Alsace et de ses «attributs gourmands». Les fromages et les vins blancs (91,5 % des vins alsaciens sont vinifiés en blanc) de cette magnifique et si accueillante région du nord-est de la France font des accords géniaux à table. Ce riesling de la maison Willm vous fera faire une balade en «classe économique» en sol alsacien. Sans se prendre pour un riesling grand cru, le vin libère d'aguicheurs parfums exotiques et tropicaux. La bouche suit très bien le nez, car le vin possède un certain volume et du gras. Si vous fuyez les vins blancs sucrés, vous serez aux anges, car celui-ci contient moins de 5 g/l de sucre résiduel.

BLANC

DANS LA MÊME LIGNÉE :
Riesling Réserve
Léon Beyer 2014
CODE SAQ : 00081471
PRIX : 19,65 $

3 499057 541005

Louis Latour 2014

20,⁰⁰ $

ORIGINE
Bourgogne - France

CÉPAGE
Chardonnay

À SERVIR À
11-12 °C

CARAFE
-

À BOIRE AVANT
2019

SUCRE ET ALCOOL
2,9 g/l et 13 %

CODE SAQ
00055533

ACCORDS
Servez-le sur des aliments cuits en friture.
Je pense, entre autres, aux délicieux
beignets de courgette de ma mère ou à des
poissons panés, mouillés de quelques
gouttes de jus de citron.

3 566921 001177

TOUT À FAIT RÉUSSI !

Fondée en 1797, la célèbre maison bourguignonne Louis Latour propose pas moins de 26 produits sur le répertoire de la SAQ. Les prix de leurs cuvées de chardonnay, de pinot noir et de gamay oscillent entre 18 et 830 $ la quille. Je n'ai pas tout goûté, mais ce que j'ai eu la chance de déguster était impeccable. Leur gamme de vins est axée sur la finesse, la digestibilité, la dentelle et la fraîcheur. Ce qui n'est pas toujours le cas en Bourgogne… Même dans les meilleurs terroirs, certains vignerons sont tristement capables du pire…

Ce chardonnay ne vous sautera pas au nez avec tambours et trompettes ! Il est délicat, quelque peu timide et finement parfumé. Des notes de fleurs blanches et de beurre frais se sont donné rendez-vous à l'olfactif. J'aime beaucoup son touché de bouche, rond, huileux et caressant. On est bien loin d'un étincelant Puligny-Montrachet Premier Cru ou d'un gracieux Meursault d'une décennie, mais le vin est tout à fait réussi pour son prix. Bien peu de bourgognes blancs à 20 $ ou moins m'ont tant fait sourire. En fait… aucun !

BLANC

DANS LA MÊME LIGNÉE :
Castello della Sala Bramito del Cervo
Marchesi Antinori 2015
CODE SAQ : 10781971
PRIX : 23,95 $

Birichino 2014

20,⁰⁵ $

ORIGINE
Monterey – Californie - États-Unis

CÉPAGE
Malvasia Blanca

À SERVIR À
8-9 °C

CARAFE
-

À BOIRE AVANT
2018

SUCRE ET ALCOOL
1,2 g/l et 13 %

CODE SAQ
11073512

ACCORDS
Vous aurez le choix entre une entrée d'asperges grillées, un bol géant de crudités, un nid de nouilles croustillantes... De nombreux fromages lui feront aussi bon visage.

0 899175 002007

IL FERA PLIER LE GENOU DE PLUSIEURS DAMES...

Voici le candidat parfait pour faire honneur à sa galerie, lorsque la neige a enfin fondu, aux alentours du mois d'avril. Disons que ce n'est pas plus qu'un simple vin de soif, mais il fera grandement plaisir à quelques gosiers sur une terrasse ensoleillée ! L'étiquette est très belle et ne se prend vraiment pas au sérieux, à l'instar des deux jeunes dirigeants du domaine. Vachement sympas et visionnaires, ils travaillent très bien au chai. Deux cuvées du vignoble Birichino (mot qui signifie «espiègle» en italien) sont offertes en succursale. Un rouge issu de vignes centenaires de grenache, et cet éclectique et bougrement aguicheur vin blanc fait exclusivement du cépage malvoisie.

Donc, oui, le packaging de la bouteille est *top notch*, mais le «jus» à l'intérieur est également impeccable ! Pour «vin» dollars, vous serez en présence d'un blanc qui a des airs de famille avec des cuvées faites de muscat et même de gewurztraminer. Sans la moindre trace de sucre, par contre (son 1,2 g/l en fait un des produits les moins sucrés, tous vins confondus, à la SAQ). Le nez libère de séduisants parfums de fruits confits ainsi qu'un profil exotique qui fera plier le genou de plusieurs dames... Il n'est par contre pas juste «assez fort pour lui, mais conçu pour elle», car, les mecs, vous aimerez aussi ! Ce brillant 2014 nous a semblé un cran plus satisfaisant que par le passé et c'est sans hésitation que nous l'avons classé parmi nos meilleurs moments de dégustation de l'année 2016.

BLANC

DANS LA MÊME LIGNÉE :
Côtes-du-Rhône Blanc
E. Guigal 2014
CODE SAQ : 00290296
PRIX : 21,05 $

3 536650 591003

Quails' Gate 2015

20,⁰⁵ $

ORIGINE
Valée de l'Okanagan -
Colombie-Britannique - Canada

CÉPAGE
Chenin blanc

À SERVIR À
11-12 °C

CARAFE
-

À BOIRE AVANT
2020

SUCRE ET ALCOOL
3,2 g/l et 13 %

CODE SAQ
11262920

ACCORDS
Le chenin est un véritable passe-partout à
table. Montrez-lui le bon «chenin» et vous
verrez qu'il se faufilera aisément entre des
fromages, des poissons à chair blanche, de
nombreux fruits de mer, des salades...

RONDEUR, ÉLÉGANCE ET GRÂCE.

On pense toujours que le «vin» est plus vert chez le voisin! On visite les vignobles de la France, de la Californie, de l'Italie, du Chili ou de la Péninsule ibérique, mais on oublie que dans notre pays, on peut faire aussi de formidables découvertes. Je veux bien sûr parler des vignobles de notre belle province ou de l'accueillante région du Niagara, mais aussi de ceux de la spectaculaire vallée de l'Okanagan. Une visite chez Mission Hill, Tantalus, Painted Rock, Laughing Stock, Inniskillin ou Quails' Gate vous en convaincra à coup sûr. Les paysages sont superbes et le lac Okanagan vaut grandement le détour. Par contre, avant de sauter dans un avion qui vous mènera à l'aéroport de Kelowna, dans le Far West canadien, vous devez goûter ce réussi et gracieux chenin de Colombie-Britannique.

La famille Stewart, qui dirige le domaine Quails' Gate, est reconnue pour mettre en bouteille des pinots noirs de grande qualité, mais également un épatant blanc fait de ce plutôt rarissime cépage, le chenin blanc. Une variété de raisin qui (quand il est cultivé sur un terroir propice par un bon vigneron!) donne des vins alliant rondeur, élégance, grâce, ainsi que texture et volume au gustatif. Celui-ci est gras, sphérique, sec, et juste trop bon en bouche! Seulement 20 douilles, vraiment? Deux fois bravo!

BLANC

DANS LA MÊME LIGNÉE:
Chenin Blanc Secateurs
Adi Badenhorst 2015
CODE SAQ : 12135092
PRIX : 19,95 $

Domaine Perraud 2011

20,¹⁰ $

ORIGINE
Mâcon Villages - Bourgogne - France

CÉPAGE
Chardonnay

À SERVIR À
11-12 °C

CARAFE
-

À BOIRE AVANT
2018

SUCRE ET ALCOOL
1,9 g/l et 12,5 %

CODE SAQ
12284709

ACCORDS
Un pâté au saumon, des vol-au-vent au poulet, des crevettes en tempura, une quiche jambon-fromage…? Oui, toutes ces réponses! Donc, parfait pour les plats en sauce crémeuse, en friture ou en pâte feuilletée.

DES ÉMANATIONS DE CROISSANT ET DE BEURRE FRAIS.

Selon le site Web de mon collègue Marc-André Gagnon de Vin Québec, le chardonnay serait le cépage blanc le plus planté dans le monde, après l'airén. Cette variété internationale est connue mondialement. Quant à l'airén, il couvre plus de 300 000 hectares dans de nombreux vignobles de la Péninsule ibérique (donc, en Espagne et au Portugal). Toujours en blanc, la troisième place va au sauvignon blanc. Revenons donc au chardo, avec ce blanc tout à fait réussi du Mâconnais, dans le sud de la Bourgogne.

Il n'aura pas fallu plus d'une heure pour que le vin s'ouvre et nous offre des émanations de croissant en cuisson, de pâte d'amande et de beurre frais. On est en présence d'un vin mûr, huileux, pénétrant, rond, dans la fleur de l'âge. Il a 5 ans et je vous conseille de le déguster dès maintenant ou dans les 2-3 prochaines années. Le vieillissement sous bois est bien maîtrisé et les notes d'élevage en barrique ne surpassent pas le fruit. Du beau travail ! J'essaie en vain de nommer un blanc de Bourgogne à moins de 20-21 $ qui m'a procuré autant de plaisir… Impeccable compte tenu de son prix tout à fait modéré !

DANS LA MÊME LIGNÉE :
Chardonnay
Château St. Jean 2014
CODE SAQ : 00897215
PRIX : 20,05 $

0 089819 055098

Ktima Gerovassiliou 2015

20,⁴⁵ $

ORIGINE
Macédoine - Grèce

CÉPAGES
Assyrtiko, malagousia

À SERVIR À
10-11 °C

CARAFE
-

À BOIRE AVANT
2018-2019

SUCRE ET ALCOOL
3,1 g/l et 12,5 %

CODE SAQ
10249061

ACCORDS
Faites une dynamique symbiose en servant ce blanc sur un plateau de sushis bien frais. En outre, la fraîcheur de l'aneth, de la coriandre, de la ciboulette, de la menthe, etc., dynamisera la synergie entre le verre et l'assiette.

PROBABLEMENT LE MEILLEUR VIN BLANC À 20 $.

Au Québec, l'engouement pour les vins grecs est palpable depuis 5-6 ans, et ce, tant dans le grand public que chez les gens de l'industrie du vin. On constate que les vins de ce magnifique pays ont de plus en plus la cote, et on peut en remercier des producteurs de premier plan tels Argyros, Thymiopoulos, Sigalas, Tsantali et, bien sûr, un de mes domaines chouchous, Gerovassiliou. On apprend donc à découvrir un pays viticole qui façonne la vigne depuis des lunes, mais aussi des cépages méconnus qu'on ne trouve pratiquement qu'en terroir grec.

Sortez donc des sentiers balisés et mettez la main sur une quille de ce lumineux et énergique blanc fait à parts égales d'assyrtiko et de malagousia! Nous sommes ici bien loin des enivrantes et paradisiaques îles de Santorin, de Corfou ou de Rhodes, car ce vin est fait en Macédoine, dans la partie méridionale du pays. Dès son ouverture, il offre des parfums rappelant les vins à base de pinot gris. Notes de pain d'épices, de fruits exotiques, de miel de trèfle… Il est friand, hyperaguicheur, séduisant et déstabilisant, comme le délicat parfum d'une dame qu'on hume pour la première fois… Alors, oui, il fait fièrement partie du Top Vin de ce livre parce que, à ce prix, c'est une véritable révélation. Et j'irai encore plus loin en disant qu'il s'agit probablement du meilleur vin blanc à un peu plus de 20 $ que vous trouverez à la SAQ cette année. Un vrai bijou à allonger en caisse de six dans votre réserve !

BLANC

DANS LA MÊME LIGNÉE :
Moschofilero Mantinia
Domaine Tselepos 2014
CODE SAQ : 11097485
PRIX : 19,25 $

Aconcagua Costa Errazuriz 2014

22,³⁵ $

ORIGINE
Aconcagua - Chili

CÉPAGE
Chardonnay

À SERVIR À
11-12 °C

CARAFE
-

À BOIRE AVANT
2018-2019

SUCRE ET ALCOOL
1,5 g/l et 13 %

CODE SAQ
12531394

ACCORDS
Sa texture ronde, caressante et onctueuse vous permettra de le servir sur des produits en tempura ou en pâte feuilletée. Des vol-au-vent au poulet, des crevettes tempura, un pâté au saumon...

0 608057 000006

ON AIME SON PETIT CÔTÉ SALIN ET UN BRIN IODÉ.

D'entrée de jeu, je dois admettre que je ne suis pas le plus grand admirateur des vins blancs faits de chardonnay. D'ailleurs, lors d'une discussion avec les copains du vin, je leur ai tout simplement demandé si l'un d'eux payerait plus de 50-60 $ pour une bouteille de chardonnay, si celle-ci ne venait pas de Bourgogne, de Champagne ou du Jura. Ils se sont tous regardés et m'ont répondu non. En divers lieux de France, on élabore de très grands vins avec ce cépage très connu, mais, ailleurs (et principalement dans le Nouveau Monde !), ces vins sont souvent trop boisés, gras, lourdauds ou pâteux à mon goût. Cela dit, il ne faut pas trop généraliser en les mettant tous dans le même panier… Car ce chilien fait exclusivement de chardonnay par la maison Errazuriz est fort réussi en dégustation.

Sans le comparer à un blanc de Chablis, on peut aisément percevoir qu'il a de petits airs de famille avec les vins produits dans cette zone viticole du nord de la Bourgogne. Ses notes de craie à tableau, sa fraîcheur gustative ainsi que son agréable petit côté salin et un brin iodé en font un blanc fort agréable. On a du corps, de la texture et des courbes fortes, élancées, qui permettront des agencements formidables à table.

DANS LA MÊME LIGNÉE :
Clos de la Chaise Dieu
Château Philippe-le-Hardi 2012
CODE SAQ : 00869784
PRIX : 25,50 $

Léon Beyer 2013

22,⁶⁰ $

ORIGINE
Alsace - France

CÉPAGE
Pinot gris

À SERVIR À
9-10 °C

CARAFE
-

À BOIRE AVANT
2018-2019

SUCRE ET ALCOOL
2 g/l et 13,5 %

CODE SAQ
00968214

ACCORDS
Je vous conseille la livraison d'un pad-thaï au poulet ou aux crevettes directement à la maison pour faire honneur à cette bonne «flûte» alsacienne! Sésame, gingembre, jus de lime, poulet et beurre d'arachide le rendront heureux comme un «Alsacien» quand il sait qu'il aura de l'amour et du... VIN!

PARFUMS DE FLEURS BLANCHES, D'EAU D'ÉRABLE ET DE COLOGNE.

Pinot gris ou tokay pinot gris ? Les deux ! En fait, jusqu'en 2005, les vignerons alsaciens pouvaient inscrire le mot « tokay » sur leurs étiquettes. Depuis, on inscrit tout simplement « pinot gris », mais c'est bien le même cépage. En bon québécois, on peut dire que la région de Tokaj (Hongrie) a « repris » les droits de cette mention sur les bouteilles issues de cette noble variété de raisin. Ce cépage représente plus ou moins 22-23 % de la surface de vignes plantées en terroir alsacien. Je dis souvent que le pinot gris est un cépage qui est d'une grande humilité, car, au nez, il est plutôt timide et pas aussi expressif que le gewurztraminer ou le muscat, mais, au gustatif, il livre la marchandise en ciboulot ! Sa tenue de bouche peut aisément permettre des mariages mets-vins avec des viandes blanches en sauce.

Qu'en est-il alors de ce pinot gris du sympathique duo père-fils Beyer établi à Eguisheim ? Si vous voulez mon avis, il est impeccable, et on ne fait pas mieux comme « PG » à moins de 20-22 $ à la SAQ. Il est fin, discret, et nous dévoile de délicats parfums de fleurs blanches, d'eau d'érable et de Cologne. C'est tout à fait séduisant et nombreuses seront les dames qui plieront du genou… Rondeur, texture et courbes élancées sont au rendez-vous pour ce blanc au charme fou !

BLANC

DANS LA MÊME LIGNÉE :
Pinot Gris
A to Z 2014
CODE SAQ : 11334057
PRIX : 25,00 $

0 892931 000149

Les Champs Royaux William Fèvre 2014

24,⁹⁵ **$**

ORIGINE
Chablis - Bourgogne - France

CÉPAGE
Chardonnay

À SERVIR À
10-11 °C

CARAFE
-

À BOIRE AVANT
2019-2020

SUCRE ET ALCOOL
2,5 g/l et 12,5 %

CODE SAQ
00276436

ACCORDS
L'accord classique avec une ou deux douzaines d'huîtres fraîches, servies en demi-coquille, lui conviendrait très bien. Des crab-cakes et leur mayonnaise maison auraient également leur place à table avec ce blanc bourguignon.

TOUJOURS AUSSI VIBRANT.

Le petit village de Chablis compte seulement 2 500 âmes et pourtant son nom est célèbre aux quatre coins de la planète vin. L'appellation est d'ailleurs tristement plagiée par de nombreux domaines qui usurpent sans scrupule son nom, un peu partout dans le monde. Car, pour bien des gens, Chablis est synonyme de petits vins blancs de tous les jours. Tous les «faux Chablis» que j'ai goûtés à ce jour étaient squelettiques et sans vertus. Allez-y donc avec un «vrai Chablissssss»! Je vous recommande chaudement ceux du Domaine Laroche, de Louis Moreau, du Château de Maligny, de la Chablisienne, du Québécois Patrick Piuze, et bien sûr de William Fèvre.

Pas question de jouer dans l'artifice ici! C'est *bone dry*, vibrant, bien *al dente*, toujours aussi net et sapide que dans les millésimes antérieurs. L'énergie et la tension sont au rendez-vous et nous sommes à des milliers d'«hectares» des chardonnays boisés, pâteux et sans acidité offerts de tous bords tous côtés. J'aime les chablis, les bons chablis, et les vins de cette réputée région viticole du nord de la Bourgogne m'ont fait vivre certains de mes plus beaux moments de dégustation. Il faut par contre mettre au moins 25–30$ si on en veut un quelque peu «émotionnel».

BLANC

DANS LA MÊME LIGNÉE :
Chablis
Joseph Drouhin 2015
CODE SAQ : 00199141
PRIX : 25,20$

Albert Bichot 2014

25,⁹⁵ $

ORIGINE
Pouilly-Fuissé - Bourgogne - France

CÉPAGE
Chardonnay

À SERVIR À
11-12 °C

CARAFE
-

À BOIRE AVANT
2021-2022

SUCRE ET ALCOOL
2,7 g/l et 13,3 %

CODE SAQ
00022871

ACCORDS
Une assiette de langoustines sur un riz blanc ou une assiette de pâtes aux fruits de mer en sauce blanche, et vos papilles passeront un très joli quart d'heure, les amis !

0 087113 114305

Philippe et sa maman lors du lancement du *Lapeyrie 2016* à Sherbrooke.

UN VIN POUR LES SYMBIOSES À TABLE.

Le chardonnay est le cépage blanc qui règne en roi et maître sur la Bourgogne. Il est capable du meilleur comme du pire, et pas seulement dans le Nouveau Monde, mais également sur le Vieux Continent. Il en existe des pâteux, des lourdauds, des grassouillets, des sur-boisés, etc., mais aussi de très bons, comme celui-ci, en appellation Pouilly-Fuissé, située dans le Mâconnais, au sud de la Bourgogne. Vous me direz que ce n'est pas donné, 25-26 $, pour un chardo, mais pourquoi ne pas se gâter de temps à autre avec une quille qui nous offrira peut-être un peu plus d'émotions lorsque nous la boirons? Allez-y, les amis, car ce produit est bien bon !

Ne faites surtout pas l'erreur de le servir trop froid et vous profiterez de son olfactif qui nous livre des notes de pâte d'amande, de beurre frais, de mie de pain et de croissant en cuisson. En bouche, le vin est onctueux, gras, enveloppant, sphérique, et ses courbes sont presque aussi sensuelles et élancées que celles de ma douce moitié… C'est à coup sûr un vin pour les symbioses à table, et non un compagnon pour les 5 à 7 ensoleillés sur la terrasse. Nous sommes bien loin d'un splendide puligny-montrachet, d'un pénétrant meursault Premier Cru ou d'un divin corton-charlemagne, mais la typicité bourguignonne est bel et bien au rendez-vous et le vin se déguste à merveille.

BLANC

DANS LA MÊME LIGNÉE :
Combe aux Jacques
Louis Jadot 2014
CODE SAQ : 00597591
PRIX: 23,55 $

Saint-Martin Domaine Laroche 2015

25,⁹⁵ $

ORIGINE
Chablis - Bourgogne - France

CÉPAGE
Chardonnay

À SERVIR À
12 °C

CARAFE
-

À BOIRE AVANT
2022-2023

SUCRE ET ALCOOL
1,5 g/l et 12 %

CODE SAQ
00114223

ACCORDS
Une salade froide de fruits de mer bien garnie de feuilles d'épinard, de tomates cerises, de basilic, de coriandre... Touillez le tout d'une vinaigrette aux agrumes pour rejoindre la fraîcheur et l'acidité vibrante présentes dans ce blanc bourguignon.

3 292060 010045

PUR, BIEN TENDU ET CLAIR COMME DE L'EAU DE ROCHE.

Vous allez fouiller longtemps en ciboulot pour dénicher un meilleur chablis à 25-26$! Ceux de la cave de La Chablisienne, de Louis Moreau, de Joseph Drouhin ou de William Fèvre sont impeccables, mais cette cuvée Saint-Martin, de la reconnue maison Laroche, est, selon moi, une «petite coche» au-dessus de la mêlée. Ce 2015 brille de tous ses feux et il serait bien difficile de ne pas le saluer dans ce livre. Ce chardonnay vous fera vite oublier les nombreuses «tisanes ou autres infusions de deux par quatre», bien pâteuses et sans âme, faites de cette même variété de raisin que l'on trouve un peu partout sur la planète vin… C'est pur, net, droit, franc, bien tendu et clair comme de l'eau de roche. Ce ne sont pas les copeaux de bois ni le sucre résiduel qui parlent ici, c'est le terroir, le superbe terroir de la plus septentrionale région de la Bourgogne : Chablis.

À l'école secondaire, j'étais un «petit môsusse» et j'en ai fait souvent, de la copie, au tableau devant la classe. Ce n'est donc pas trop compliqué pour moi de me rappeler l'odeur de la craie à tableau… C'est exactement ce que sent ce vin, mais aussi la pomme verte. La minéralité et la vigueur sont au rendez-vous. Cette bouteille était coiffée d'une capsule à vis depuis une dizaine d'années, mais le domaine est revenu à ses anciennes amours en utilisant un classique bout d'écorce de chêne-liège. Un sol unique, une maison riche d'une solide tradition viticole, un cépage d'une grande noblesse et un millésime 2015 tout simplement béni des dieux. Tout est là et le résultat dans le verre est vraiment génial! Je t'aime tant, Chablisssss!

BLANC

DANS LA MÊME LIGNÉE :
La Sereine
La Chablisienne 2015
CODE SAQ : 00565598
PRIX : 23,30$

Domaine des Fines Caillottes 2014

26,³⁰ $

ORIGINE
Pouilly-Fumé - Loire - France

CÉPAGE
Sauvignon blanc

À SERVIR À
10-11 °C

CARAFE
-

À BOIRE AVANT
2020-2021

SUCRE ET ALCOOL
2,4 g/l et 12,5 %

CODE SAQ
00963355

ACCORDS
Vous pourriez le servir avec un bon gros grilled-cheese maison en pain baguette. La texture grasse du fromage fondant bien crémeux, du bacon et du beurre, lui fera brillamment honneur.

LES AGENCEMENTS METS-VINS SERONT FASTUEUX.

Le sauvignon blanc est un cépage qui donne le meilleur de lui-même dans le Centre-Loire, sur des appellations comme Sancerre, Menetou-Salon ou Pouilly-Fumé. On en trouve aussi de très bons dans le Bordelais, en Nouvelle-Zélande et ailleurs sur la planète vin. Cela dit, les sauvignons issus de la zone la plus à l'est de la vallée de la Loire (Centre-Loire ou Berry-Nivernais) sont, selon moi, tout simplement inimitables. Parmi les plus talentueux producteurs (ou domaines) de la région, citons Alphonse Mellot, Henri Bourgeois, le Domaine Vacheron, le Château de Sancerre et Henry Pellé. Sans oublier le Domaine des Fines Caillottes qui embouteille le fort plaisant blanc que je présente ici. Pour de plus grandes émotions, ne passez pas tout droit devant les splendides cuvées sancerroises de François ou Pascal Cotat.

Le nez «quasi explosif» de chair d'agrume et les notes pas toujours agréables d'asperges en conserve ne vous sauteront pas au visage, comme c'est le cas pour de nombreux sauvignons commerciaux du Nouveau Monde, un peu trop bavards! Celui-ci est plutôt discret avec ses délicats effluves de pâte d'amande, de poire chaude, de fleurs blanches, de craie et de pommes bien mûres. L'acidité est bien présente, mais nullement agressive. Sa texture est ample, voire généreuse, et les agencements mets-vins seront fastueux.

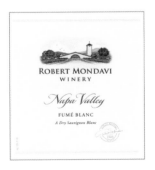

BLANC

DANS LA MÊME LIGNÉE :
Fumé Blanc
Robert Mondavi 2014
CODE SAQ : 00221887
PRIX : 26,00 $

0 086003 351868

Chablis Premier Cru Vaulignot Louis Moreau 2014

31,⁰⁰ $

ORIGINE
Chablis - Bourgogne - France

CÉPAGE
Chardonnay

À SERVIR À
10-11 °C

CARAFE
-

À BOIRE AVANT
2022-2023

SUCRE ET ALCOOL
1,9 g/l et 12,5 %

CODE SAQ
00480285

ACCORDS
Un vin si «émotionnel» nécessite une recette de haute voltige. Je pense à des pattes de crabe, à des huîtres fraîches, à du homard nature, à des pétoncles allongés sur un risotto crémeux… Miam !

DE LA GRANDE CLASSE BOURGUIGNONNE.

Cherchez-vous un blanc droit, franc, net et bien sec pour escorter savamment du homard nature ou du crabe des neiges? N'allez pas plus loin et mettez la main sur cet excitant blanc chablisien! Cet élégant, fin, pur et racé chardonnay est à des centaines d'«hectares» devant les très présents «chardos botoxés» enfouis sous des dizaines de grammes de sucre résiduel et sous le maquillage artificiel des copeaux de bois. Ce vin est tout nu, plein de vie et bien *al dente* en bouche. Il sera important de ne pas le servir trop froid, car c'est déjà un «grand timide» qui n'est pas des plus bavards sur le plan aromatique. Sortez-le donc du frigo au moins une bonne demi-heure avant la dégustation.

Sa tension, sa pureté et son profil hyperdigeste vous feront voir le fond de la bouteille assez rapidement, avec quelques copains autour d'une table. Son côté minéral nous fait saliver et c'est très bon signe, car c'est l'effet que produit habituellement un bon vin. Ce premier cru de Chablis offre des émanations de fleurs blanches, de craie à tableau, et des notes de zeste de citron. La bouche est *bone dry* et d'une droiture exemplaire. Trois bouteilles en cave, c'est 100 $ fort bien investis. De la grande classe bourguignonne, que cette cuvée de la famille Moreau!

BLANC

DANS LA MÊME LIGNÉE :
**Chablis Premier Cru
Montmains**
Jean-Marc Brocard 2014
CODE SAQ : 12178818
PRIX : 30,75 $

Finca Flichman 2015

10,⁵⁵ $

ORIGINE
Mendoza – Argentine

CÉPAGE
Malbec

À SERVIR À
15 °C

CARAFE
–

À BOIRE AVANT
2018-2019

SUCRE ET ALCOOL
2,3 g/l et 12,5 %

CODE SAQ
10669832

ACCORDS
Escortez-le simplement de saucisses de petits
et gros gibiers, de votre assiette de *pasta*
sauce tomate du lundi soir, ou d'un simple
pain de viande arrosé d'un trait de ketchup.

7 790470 080222

Dégustation avec le grand Georges Dubœuf
et mon collaborateur Mathieu Saint-Amour.

UNE AVALANCHE DE BAIES SAUVAGES.

Presque chaque région ou pays viticole possède un cépage emblématique, une variété de raisin qui fait la fierté des vignerons locaux. Des exemples? Le shiraz en Australie, le zinfandel ou le cabernet sauvignon en Californie, le sauvignon blanc en Nouvelle-Zélande, le tempranillo en Espagne, et ainsi de suite. Si vous allez visiter des producteurs de vin à Mendoza, en Argentine, il serait important de ne pas parler «dans l'dos» du cépage malbec! Je vous dis ça en riant, mais avec une pointe de vérité, car les vignerons de cette zone vitivinicole sud-américaine sont fiers en ciboulot du malbec. Et pour cause: il y en a de délicieux! Par exemple les vins de Catena, Trapiche, Norton et d'Achaval Ferrer.

Bon, allons, soyons francs, ce n'est pas celui-ci qui vous décrochera la mâchoire, mais il est sans défaut pour son prix qui frôle le ridicule. Donc, on ne s'attend pas à humer autre chose qu'un rouge primaire qui sent le jus de raisin frais, le sirop de grenadine, le crayon-feutre et le sirop de cassis. Aucun maquillage techno n'est de la partie. Juste une avalanche de baies sauvages au nez et une bonne dose de fraîcheur en bouche. Une quille au contenu simple, honnête, efficace, sans vices ni grandes vertus.

ROUGE

DANS LA MÊME LIGNÉE:
Tocado
Bodegas Borsao 2014
CODE SAQ: 10845701
PRIX: 10,15$

8 412423 120647

Terre à Terre Jean-Noël Bousquet 2015

10,⁷⁵ $

ORIGINE
Corbières – Languedoc-Roussillon – France

CÉPAGES
Syrah, carignan, grenache

À SERVIR À
15 °C

CARAFE
–

À BOIRE AVANT
2019–2020

SUCRE ET ALCOOL
2,8 g/l et 13,5 %

CODE SAQ
11374391

ACCORDS
Une symbiose locale m'aurait fait opter pour des brochettes d'agneau, mais, chez nous, vous pourrez l'escorter d'une simple assiette de smoked-meat *home made*. Donc, tournez autour des viandes fumées, d'un pain de viande ou d'un méchoui d'agneau…

3 564732 005094

LE MEILLEUR ROUGE À MOINS DE 11 $ À LA SAQ!

Oui, je sais, je sais, ce jeune, fougueux et combien rassasiant cru du sud de la France s'est retrouvé dans tous mes livres! La raison en est simple: c'est encore et toujours, selon mon «gros pif» et sans aucun doute, le meilleur rouge à moins de 11 $, tous produits confondus à la SAQ! Un bijou qui peut faire une taquine grimace à bien des douteux pinards coûtant parfois 4-5 douilles de plus la bouteille! Je vous rappelle qu'il y a 3-4 ans seulement, ce produit coûtait une quinzaine de dollars et que Jean-Noël Bousquet a choisi délibérément de baisser radicalement son prix pour mieux se positionner sur notre marché. Excellente stratégie, car, depuis, ce Terre à Terre (et même son frangin, La Garnotte!) fait la pluie (et surtout le beau temps!) en succursale. Donc, avant de donner à boire des cuvées qui feront grimacer vos invités lors d'une réception, misez plutôt sur cet assemblage languedocien d'une qualité irréprochable et à prix dérisoire.

Sans grandes ni fausses promesses (qu'il ne pourrait pas tenir de toute façon!), ce vin est franchement bon et pas mal plus que juste honnête et buvable. Fort agréable au nez comme en bouche, le caractère du grand Bousquet est présent dans la fiole. Goûteux, frais, méditerranéen, juteux, et surtout sans aucune finale douteuse, contrairement à nombre de ses camarades du même prix. Tout va bien dans ce vin et vous pouvez acheter le 2015 les yeux fermés, en caisses de 6 ou de 12. À moins que le vin ne soit bouchonné ou servi trop chaud, vous serez agréablement surpris par la qualité de son fruit. Au moment où je rédigeais ces lignes, les 400 succursales de la SAQ en avaient en stock, alors gâtez-vous pour vraiment pas cher, les amis! En un mot: bravo!

ROUGE

DANS LA MÊME LIGNÉE:
Fontauriol
Les Domaines Auriol 2014
CODE SAQ: 12700071
PRIX: 11,90 $

3 569401 005771

Campobarro San Marcos 2014

10,⁸⁵ $

ORIGINE
Ribera del Guadiana - Extremadura - Espagne

CÉPAGE
Tempranillo

À SERVIR À
15 °C

CARAFE
-

À BOIRE AVANT
2017-2018

SUCRE ET ALCOOL
2,5 g/l et 13,5 %

CODE SAQ
10357994

ACCORDS
Il saura très bien accompagner une bonne grosse tourtière du Lac mouillée d'un ketchup maison, mais également une simple mais combien efficace portion de pain de viande en début de semaine.

8 414756 010022

DU FRUIT, DU FRUIT ET ENCORE DU FRUIT!

Nous sommes nombreux à chigner et à déplorer le fait que de multiples vins tout à fait agréables et fort recommandables, à moins de 12-13$, ont disparu de notre marché. C'est vrai. Mon boulot de chroniqueur vin est d'ailleurs un peu plus complexe qu'il y a 5 ou 10 ans, alors que les cuvées d'entrée de gamme «inondaient» pratiquement nos tablettes. Pourtant, il y a autant de mariages, de méchouis, de brunchs et de grandes réceptions qu'avant. C'est souvent pour ces occasions qu'on veut mettre la main sur quelques caisses de bons vins à petit prix, qui ne feront pas grimacer les convives. Donc, si vous planifiez un festif rassemblement qui mobilisera plein de gens que vous aimez, et que vous ne voulez pas vous ruiner pour bien les faire boire, voici un excellent candidat qui ne vous fera pas honte devant la visite!

Ce 100% tempranillo est toujours aussi efficace (et peut-être un peu plus!) que dans les millésimes antérieurs. Du fruit, du fruit et encore du fruit! Une cuvée sans grande complexité, mais ne souffrant d'aucun complexe. Parmi les meilleurs vins rouges d'une dizaine de huards… Bravo, Campobarro!

DANS LA MÊME LIGNÉE:
La Garnotte
Jean-Noël Bousquet 2015
CODE SAQ: 11374411
PRIX: 12,00$

Syrah Araucano François Lurton 2014

11,⁰⁰ $

ORIGINE
Vallée de Lolol – Vallée Centrale - Chili

CÉPAGE
Syrah

À SERVIR À
15 °C

CARAFE
-

À BOIRE AVANT
2018

SUCRE ET ALCOOL
4,7 g/l et 13,5 %

CODE SAQ
11975073

ACCORDS
Comme ce vin est assez caméléon, vous pourriez opter pour des plats habituellement servis lors d'un banquet ou d'un buffet, par exemple une brochette de bœuf, une assiette de roast-beef, des charcuteries ou une escalope de veau...

UN BRIN ÉPICÉ, POIVRÉ, FUMÉ.

On a tous un beau-frère ou un copain quelque peu snobinard qui lève toujours le nez sur les vins d'entrée de gamme. Il croit, à tort, qu'il faut absolument dépenser 15, 20 ou 25 $ pour se procurer une fiole buvable. Mais a-t-il déjà goûté à un vin rouge comme le Vila Regia, le Terre à Terre, le Meia Encosta ou le Mas des Tourelles, tous des rouges sans faille à moins de 12 $? Probablement pas ! Pas à l'anonymat, du moins… Si vous voulez lui clouer le bec une fois pour toutes, mettez ce plus que satisfaisant flacon sud-américain dans un sac noir (ou tout simplement dans une carafe) pour en cacher l'identité et glissez-le au frigo un bon 30-40 minutes. Servez-lui un bon verre et demandez-lui s'il sait de quoi il s'agit, et, surtout, combien il paierait pour ce vin. À moins qu'il ait, comme vous, lu ce paragraphe, il devrait être assez loin du petit 11 $ que la SAQ en demande…

Vous auriez tout à gagner à servir cette impeccable syrah chilienne lors d'une réception aux nombreux invités. Personne ne fera la grimace en sa présence et vous n'esquinterez pas votre carte de crédit en en achetant 3-4 caisses. Sans avoir des parfums enivrants ni une complexité phénoménale, le vin est un brin épicé, poivré, fumé et *full* fruité. Nouvelle étiquette, même bon goût que l'an dernier ! Diable que mon boulot de chroniqueur *vino* serait simplifié si le monopole était mieux garni de fioles de cette qualité, à si petit prix ! Alors, deux mots à retenir : syrah et Araucano !

ROUGE

DANS LA MÊME LIGNÉE :
Grande Cuvée
Mas des Tourelles
2014
CODE SAQ : 11975233
PRIX : 10,35 $

3 760034 420829

Santa Julia 2014

11,⁵⁵ $

ORIGINE
Mendoza – Argentine

CÉPAGE
Syrah

À SERVIR À
15 °C

CARAFE
-

À BOIRE AVANT
2018

SUCRE ET ALCOOL
6,3 g/l et 13,5 %

CODE SAQ
12698207

ACCORDS
Un sous-marin steak et fromage bien garni de légumes croquants et « plombés » de tranches d'olives noires lui ira comme un « grand » !

JOUER AVEC BRIO LA CARTE DE LA SIMPLICITÉ.

Vous êtes nombreux à fuir les bouteilles de moins de 12-13 $. C'est tout à fait normal, car on est porté à croire que le prix d'un vin révèle automatiquement sa qualité, mais c'est faux. Je peux vous dire que, de janvier à juillet 2016, Mathieu et moi avons goûté des dizaines de décevants crus coûtant de 20 à 30 $. Ces produits manquaient de punch, de personnalité, de goût, de caractère, de profondeur. Sans compter tous ces « vins recettes » aux saveurs artificielles, bourrés de sucre et infusés aux copeaux de bois. Tout ça pour vous dire que, parfois, on peut être surpris, voire séduit par un simple pinard à prix d'ami. Suivez-moi, car en voici justement un épatant !

Quelle agréable surprise que cette jolie syrah *made in Argentina* ! Sans avoir l'air ni la chanson d'une succulente côte-rôtie rhodanienne, elle joue avec brio la carte de la simplicité, de la « buvabilité » et de l'efficacité. Rien de lourd ni de maquillé n'est au rendez-vous. *What you smell is what you get*, comme on dit ! Un brin épicé, tout en fraîcheur, fort rassasiant et sans la finale douteuse de pas mal de quilles de la même fourchette de prix. Tout un pied de nez à la quasi-totalité des vins d'épicerie qui coûtent 5-6 $ de plus… Impeccable et très près d'une présence dans le Top Vin de ce bouquin !

ROUGE

DANS LA MÊME LIGNÉE :
Herdade das Albernoas 2014
CODE SAQ : 10803051
PRIX : 10,80 $

Coto de Hayas Bodegas Aragonesas 2014

11,⁶⁰ $

ORIGINE
Campo de Borja – Aragon – Espagne

CÉPAGES
Grenache, syrah

À SERVIR À
15 °C

CARAFE
-

À BOIRE AVANT
2018

SUCRE ET ALCOOL
2,2 g/l et 13,5 %

CODE SAQ
12525111

ACCORDS
Optez pour la simplicité et la fraîcheur pour bien harmoniser ce vin. Un « spag » en sauce tomate et aux boulettes de bœuf ou de veau bien assaisonnées. Une assiette de veau parmigiana lui serait aussi de bonne connivence.

PULPEUX, FRIAND, GOULEYANT.

Nous avions été fort agréablement surpris par la version 2013 de ce jeune et pimpant rouge de l'Aragon, dans le nord-est de l'Espagne. Mais il est facile d'affirmer que ce 2014 est nettement plus réussi que le précédent. Disons que je ne me gênerais pas pour le servir à l'anonymat, à travers quelques flacons à 15-16 $… Je gage un «p'tit deux» qu'il ne finirait pas en queue de peloton! Les vins à moins de 12 $ aussi savoureux que celui-ci se comptent pratiquement sur les doigts d'une seule main. En fouillant les pages de ce bouquin du vin, vous y dénicherez la crème dans cette fourchette de prix. Ces vins viennent souvent d'Espagne, du Portugal, ou du sud de la France. Ce sont eux qui nous fournissent les bouteilles les moins dispendieuses et souvent les plus profitables en dégustation! #languedoc #espagne #portugal #j'aime.

Comme je l'ai dit plus haut, ce beau 2014 nous offre plus de «jus» que l'an dernier, alors imaginez ce que ce sera lorsque le superbe millésime 2015 sera en vente chez nous! Cela dit, celui-ci est nu comme un ver! Pas de sucre (2,2 g/l), pas de bois, pas de taux d'alcool à vous décrocher la mâchoire. C'est pulpeux, friand, gouleyant, primaire. Vachement bon, à ce prix d'ami! Il ne vous fera probablement pas connaître l'extase, mais rien ne cloche et le fruité est éclatant. Comme dit le grand Chartier, «un vin possédant pas mal plus de vertus que de vices»! *P.-S.* Ne vous effrayez pas de son bizarre bouchon en plastique de la couleur cerise du rouge à lèvres de la pétillante Katy Perry! Le packaging est plutôt moderne, mais le contenu garde tout son charme européen. À ce prix, un seul mot: bravissimo!

ROUGE

DANS LA MÊME LIGNÉE:
Comtes de Rocquefeuil
Cave des Vignerons
de Montpeyroux 2014
CODE SAQ: 00473132
PRIX: 13,55 $

3 300261 730065

Rioja Vega 2014

11,⁹⁰ $

ORIGINE
Rioja – Espagne

CÉPAGES
Tempranillo, grenache

À SERVIR À
15-16 °C

CARAFE
-

À BOIRE AVANT
2018

SUCRE ET ALCOOL
1,6 g/l et 13,5 %

CODE SAQ
12699197

ACCORDS
Une assiette de roast-beef, une sélection de charcuteries ou une brochette de bœuf et de champignons de Paris ne se débrouilleraient pas trop mal devant ce jeune pur-sang ibérique !

FORT EFFICACE!

Quand on demande à quelqu'un qui a suivi une formation en vin (ou à un fouineur qui lit un peu sur le sujet !) de nommer 2-3 célèbres zones viticoles espagnoles, vous verrez que la Rioja est souvent mentionnée. C'est une appellation très connue ; des vins superbes y sont vinifiés et élevés. Suis-je en train de dire que toutes les cuvées de la Rioja sont à boire à genou ? Pas du tout ! En fait, à moins de 12-13 $, les bons rouges de cette région sont quasi absents de nos tablettes. Et la plupart des Rioja avec les mentions Joven, Crianza, Reserva ou Gran Reserva coûteront, en gros, de 14 à 40 $. Quant à ce Vega, il brille par sa présence sur notre marché et c'est à vous d'en profiter !

Les gens en achèteraient probablement plus si les bouteilles étaient coiffées d'une capsule à vis au lieu d'un bouchon de liège. Pourquoi ? Parce qu'on achète souvent en grande quantité des vins de 10 à 12 $ pour les mariages et autres grandes réceptions, et qu'on préfère déboucher 50 ou 100 bouteilles dotées d'un *twist-cap* plutôt que d'un bouchon de liège. De plus, on n'a pas à sentir les bouteilles une à une pour détecter les vins bouchonnés. Cela dit, ce n'est pas juste un produit pour les réceptions : vos débuts de semaine seront également agréables si vous vous servez un petit verre de cet assemblage de tempranillo et de grenache. C'est juste assez gourmand, pas boisé, sans complexe, simple, mais fort efficace.

ROUGE

DANS LA MÊME LIGNÉE :
Coelus
Grupo Yllera 2014
CODE SAQ : 12699091
PRIX : 11,45 $

8 420378 000389

Domaine de Moulines 2014

12,95 $

ORIGINE
Languedoc-Roussillon – France

CÉPAGE
Merlot

À SERVIR À
15–16 °C

CARAFE
–

À BOIRE AVANT
2018–2019

SUCRE ET ALCOOL
3,5 g/l et 13,5 %

CODE SAQ
00620617

ACCORDS
Un réconfortant ragoût de boulettes et de pattes de porc bien garni d'oignons, de carottes, de céleris, de pommes de terre, de poireaux… et le tour est joué !

Intronisation de Philippe lors du Salon des vins de Bordeaux dans le vieux port de Québec.

UN SEUL MOT : BRAVO !

Je ne me suis jamais gêné pour dire haut et fort que le merlot n'est pas mon cépage favori. Mis à part en terroir bordelais, c'est bien rare que les vins faits de cette variété de raisin m'éblouissent les papilles. Je les trouve souvent unidimensionnels et sans grand caractère. Mais qui suis-je ? C'est à vos sens organoleptiques de juger si les rouges issus de ce cépage vous plaisent ou non. Si vous saviez le nombre de copains qui prennent un taquin plaisir à m'en servir à l'aveugle ! Je dois par contre admettre que certains m'ont agréablement surpris. Celui dont la photo orne la page de gauche est tout à fait étonnant pour son prix d'ami !

Ils sont peu nombreux, les rouges faits de merlot en mode monocépage dans le Languedoc. On trouve davantage de grenache, de syrah, de mourvèdre, de carignan, de cinsault… Le merlot préfère habituellement le climat atlantique au climat méditerranéen. Ce cru du Domaine des Moulines, établi entre Montpellier et Nîmes, nous prouve que ce cépage peut donner de très bons résultats dans ce chaud climat du sud de la France. Comme certains bordeaux d'entrée de gamme, le vin libère des notes de tabac à pipe frais, de sucre brun et de raisins bien mûrs. Le gustatif est rond, joufflu et presque généreux. Pour 13 $, un seul mot : bravo !

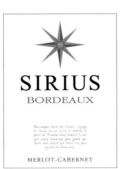

DANS LA MÊME LIGNÉE :
Sirius
Sichel 2012
CODE SAQ : 00223537
PRIX : 14,55 $

Canforrales Campos Reales 2014

13,²⁵ $

ORIGINE
La Mancha – Castille La Manche – Espagne

CÉPAGE
Tempranillo

À SERVIR À
15 °C

CARAFE
10–15 minutes

À BOIRE AVANT
2019

SUCRE ET ALCOOL
4,1 g/l et 14 %

CODE SAQ
10327373

ACCORDS
Un pique-nique sous un olivier centenaire, le son des boules de pétanque qui se cognent, quelques tranches de *jamón ibérico* (le classique et tellement délicieux jambon ibérique), de l'huile d'olive, et — j'allais oublier — le tout sous un ciel azur ! Quelques gorgées de ce Canforrales débordant de fruit et vous serez heureux comme un « Espagnol » quand il sait qu'il aura de l'amour et du vin !

DES FLAVEURS DE RÉGLISSE
ET DE FRUITS À NOYAU.

Le 2012 de ce pur tempranillo était une petite merveille. Une emplette quasi sans rivales à 13-14 $! Ne vous attendez pas à rencontrer un vin d'une profondeur immense ni d'une complexité phénoménale, mais rien ne fait défaut et le vin est fort agréable pour un si petit prix. D'ailleurs, l'immense région viticole de Castille—La Manche (le pays de Don Quichotte) est considérée comme la plus vaste du monde. On n'y trouve pas moins de 580 000 hectares de vignes… Pour vous donner une idée, la France entière en possède *grosso modo* 800 000 ! Donc, du tempranillo, dans la Mancha, il y en a beaucoup, beaucoup, beaucoup. Par contre, comme ailleurs, il y en a du bon et du moins bon. En voici un bon qui ne malmènera pas trop votre carte de crédit !

Son fruité est abondant et étonnamment généreux pour une cuvée à seulement 13 $. Sans sucre (4 g/l pile-poil) et pas très boisé (4 mois de fûts américains), le vin est frais, digeste et fort gouleyant. C'est juteux en bouche et des flaveurs de réglisse et de fruits à noyau sont présentes. Profitez de son charme et de ses vertus en lui tirant le bouchon dans les 2-3 prochaines années, pas plus. À mon avis, il est meilleur que la plupart des vins d'épicerie qui peuvent coûter 3, 4 ou 5 $ de plus la fiole !

DANS LA MÊME LIGNÉE :
Coronas
Miguel Torres 2012
CODE SAQ : 00029728
PRIX : 14,80 $

8 410113 003089

Clos Bagatelle 2015

13,⁹⁵ $

ORIGINE
Saint-Chinian – Languedoc–Roussillon – France

CÉPAGES
Syrah, grenache, carignan, mourvèdre

À SERVIR À
15–16 °C

CARAFE
-

À BOIRE AVANT
2018–2019

SUCRE ET ALCOOL
1,7 g/l et 13,5 %

CODE SAQ
12824998

ACCORDS
Un sauté de bœuf bien fourni en poivrons multicolores, allongé sur un riz blanc ou des vermicelles, créera un accord mets-vin fort harmonieux.

UNE FRAÎCHEUR EXQUISE, UN FRUITÉ JUSTE ET PRÉCIS.

À la suite du décès de leur mère, il y a une vingtaine d'années, Christine et Luc Simon ont repris habilement les rênes du Clos Bagatelle, à Saint-Chinian, dans le Languedoc. Les deux amoureux du vin ont des rôles bien différents au sein de l'exploitation vitivinicole. Luc, c'est l'artiste qui travaille aux champs, à façonner la vigne, et au chai, à la vinification. Il est discret, mais fort rigoureux. Christine, c'est tout le contraire : un vrai moulin à paroles ! Elle jase avec joie et conviction de son terroir languedocien et de sa fascinante conception du vin. Elle s'occupe avec brio de la commercialisation des vins du domaine et doit donc faire de nombreux voyages promotionnels. En goûtant aux différentes cuvées du Clos Bagatelle qui sont offertes chez nous, on peut affirmer que leur mère aurait été fière des vins que ses enfants soutirent de la terre qu'elle leur a léguée.

C'est sans trop hésiter que nous avons inscrit ce Clos Bagatelle dans le Top Vin de cette édition du *Lapeyrie*. Car, oui, nous pouvons le comparer à bien des cuvées de 15 à 20 $ que nous avons dégustées cette année. C'est un véritable bijou qui reflète et exprime à merveille sa solaire et méridionale région de France ! Une fraîcheur exquise, un fruité juste et précis, une bouche juste assez gourmande… Difficile, pour ne pas dire quasi impossible de trouver mieux en matière de vin rouge à moins de 14 $ sur notre marché !

ROUGE

DANS LA MÊME LIGNÉE :
Marius
M. Chapoutier 2014
CODE SAQ : 11975196
PRIX : 14,95 $

Château des Tourelles 2014

14,³⁵** $**

ORIGINE
Costières de Nîmes – Rhône – France

CÉPAGES
Syrah, mourvèdre, marselan, carignan

À SERVIR À
15–16 °C

CARAFE
-

À BOIRE AVANT
2018-2019

SUCRE ET ALCOOL
2,6 g/l et 14 %

CODE SAQ
00387035

ACCORDS
Un bol de courge spaghetti en sauce tomate, gratinée au Hercule de Charlevoix. Décorez l'assiette de 2-3 feuilles de basilic frais et le tour est joué !

3 760034 420010

PULPEUX, FACILE, JUTEUX.

La famille Durand tient les rênes du Château des Tourelles, dans le Rhône méridional. Même si ces gens sont d'origine européenne, on peut dire qu'ils ont un «petit accent» québécois… En effet, les Durand ont investi dans le célèbre vignoble de l'Orpailleur à Dunham, dans les Cantons-de-l'Est. Peut-être avez-vous goûté le Mas des Tourelles ces derniers mois. Eh bien, celui que je décris ici est en quelque sorte son frangin aîné, mais disons qu'il est plus profond, plus goûteux et un tantinet plus costaud. En fouillant sur les tablettes de la SAQ, vous trouverez d'autres domaines qui œuvrent sur l'appellation Costières de Nîmes. Parmi ceux-ci, je vous recommande chaudement les cuvées du Château de Nages et du Château Mourgues du Grès.

Sa couleur brillante et attirante est hyperviolacée. Le fruité est abondant et, dès le premier coup de nez, on a une bonne envie de prendre le vin en bouche! C'est pulpeux, facile, juteux, précis, et sans la moindre lourdeur gustative. Sans vouloir froisser le producteur qui l'a mis en bouteille, je dirais que c'est un solide «vin de soif»! Voilà donc une des bonnes quilles de rouge à moins de 15 $ que nous avons dégustées cette année.

ROUGE

DANS LA MÊME LIGNÉE:
Elise Moulin de Gassac
Daumas Gassac 2014
CODE SAQ: 00602839
PRIX: 15,00 $

105

Cap au Sud
Domaine Cazes
2014

14,⁵⁰ $

ORIGINE
Côtes Catalanes – Languedoc-Roussillon – France

CÉPAGES
Syrah mourvèdre

À SERVIR À
15 °C

CARAFE
-

À BOIRE AVANT
2018

SUCRE ET ALCOOL
1,9 g/l et 13 %

CODE SAQ
12829051

ACCORDS
Un bon gros *sub* maison bien rempli de boulettes de viande d'agneau ou de bœuf. Gratinez le tout d'une belle tranche de fromage Hercule et ça va être «bon dans gueule», comme dirait mon *chum* Bob le Chef !

3 248847 699354

TOTALEMENT AXÉ SUR UN FRUITÉ MÛR ET ÉLÉGANT.

Je peux me péter les bretelles en disant que, ces 15 dernières années, j'ai eu le bonheur de goûter de nombreuses cuvées de divers millésimes des vins de Cazes. Certains blancs, la plupart de leurs rouges, et même leur onctueux et pénétrant muscat de Rivesaltes, sont sans fausse note. Je traiterai d'ailleurs de la séduisante cuvée Marie-Gabrielle, du même producteur, plus loin dans ce livre, un vin tout simplement fameux pour à peine 20 $. Voici donc le petit nouveau de ce domaine qui serait le plus grand du monde en superficie de vignes cultivées en biodynamie. Pas moins de 220 hectares. Grâce aux soins particuliers dont ils jouissent, ces ceps possèdent un système immunitaire hyperrésistant qui leur permet de combattre les maladies de la vigne.

Vous trouverez donc ici, dans votre verre, un plus qu'honnête assemblage à parts égales de mourvèdre et de syrah. Deux *beach boys* qui, tout comme moi, aiment bien faire la bronzette en «siestant» les deux pieds (ou les racines!) bien ancrés dans le sable chaud de la mer Méditerranée. La belle vie sous le chaud soleil de la Côte d'Azur et du solaire Languedoc-Roussillon, j'adore! Ce Cap au Sud est un jeunot, certes, mais déjà fort bien «élevé»! Quelque peu torréfié, épicé, il est, comme de nombreuses syrahs du Midi, totalement axé sur un fruité mûr et élégant. Franchement bon, pour moins de 15 balles!

ROUGE

DANS LA MÊME LIGNÉE:
Chaminé
Cortes de Cima 2014
CODE SAQ: 10403410
PRIX: 15,05 $

Cuvée du Soleil Domaine de Sahari 2014

14,⁹⁵ $

ORIGINE
Guerrouane – Maroc

CÉPAGES
Cabernet sauvignon, merlot

À SERVIR À
15–16 °C

CARAFE
–

À BOIRE AVANT
2018–2019

SUCRE ET ALCOOL
0,5 g/l et 13 %

CODE SAQ
00717413

ACCORDS
Réalisez une symbiose régionale en y allant avec un classique accord marocain : méchoui, tajine ou couscous.

La brigade des sommeliers pour les Sélections Mondiales des vins Canada 2015.

UN ROUGE MAROCAIN SURPRENANT ET CHARMANT.

Les trois principaux pays producteurs de vin d'Afrique du Nord (Maroc, Algérie et Tunisie) nous proposent très peu de cuvées sur nos tablettes. Une douzaine tout au plus. La plupart de celles que j'ai eu le plaisir de déguster à ce jour ne m'ont pas procuré de grandes émotions. Je reste ouvert et je ne lève surtout pas le nez sur la terre d'origine de mon père et de ma mère, tous deux des pieds-noirs d'Algérie, mais je cherche encore un vin issu d'un de ces trois pays qui me fera plier du genou. Sans y parvenir tout à fait, ce rouge marocain nous a tout de même surpris et charmés lorsque nous l'avons dégusté à l'aube de l'été 2016.

Même si la région de Guerrouane est mieux connue pour ses vins gris (types de vins rosés), ce vin est la « preuve liquide » que de bien bons rouges sont aussi élaborés dans cette zone viticole. Déroutez et déstabilisez vos invités en leur servant ce produit du Domaine de Sahari ! Son nez de crayon-feutre et d'épices et ses notes fumées ne sont pas sans rappeler certains crus languedociens. On sent et on goûte une parfaite maturité des fruits à la vendange. J'aurais aisément payé 4-5 $ de plus la bouteille pour cette agréable découverte. *Top notch !*

ROUGE

DANS LA MÊME LIGNÉE :
Château de Pennautier
2014
CODE SAQ : 00560755
PRIX : 15,95 $

Grande Réserve des Challières Bonpas 2014

15,⁰⁵ $

ORIGINE
Côtes-du-Rhône - Rhône - France

CÉPAGES
Grenache, syrah, mourvèdre

À SERVIR À
15–16 °C

CARAFE
-

À BOIRE AVANT
2018

SUCRE ET ALCOOL
2,4 g/l et 14 %

CODE SAQ
12383352

ACCORDS
Mijotez-vous une fricassée de bœuf haché et de champignons de Paris ou un sauté de veau au cari, puis servez ce vin rhodanien, et vous réussirez un fort agréable accord.

3 260980 029607

DÉLICATES NOTES D'HERBES PROVENÇALES.

De nombreuses régions viticoles mondialement reconnues tiennent leur nom d'un cours d'eau. Pensons à la vallée de la Loire ; à la Moselle, qui est une rivière, mais aussi une des zones viticoles les plus réputées d'Allemagne (Mosel) ; au Douro, dans le nord du Portugal ; ou même au splendide Rhône, ce fleuve majeur qui prend sa source en Suisse et coule du nord au sud, en France, jusqu'à la Méditerranée. Côtes-du-Rhône est une région où l'on trouve les plus grands rouges faits de grenache, mais également de syrah, de toute la planète vin. Un tête-à-tête avec un divin côte-rôtie, un multidimensionnel châteauneuf-du-pape ou un grandissime hermitage vous en convaincra à coup sûr.

Ce rouge n'est pas le gaillard le plus parfumé ni le plus expressif, mais il libère de délicates notes d'herbes provençales ainsi que de fort charmants parfums méditerranéens. Le produit est souple, peu tannique, frais, facile, mais sa longueur en bouche n'est pas phénoménale. Pour 2 $ de moins, vous pourriez mettre la main sur son jeune frangin en appellation Ventoux. Deux rouges aussi honnêtes qu'efficaces.

ROUGE

DANS LA MÊME LIGNÉE :
Réserve
Famille Perrin 2013
CODE SAQ : 00363457
PRIX : 16,85 $

Le Versant Foncalieu 2014

15,⁰⁵ $

ORIGINE
Languedoc-Roussillon - France

CÉPAGE
Syrah

À SERVIR À
15–16 °C

CARAFE
-

À BOIRE AVANT
2019–2020

SUCRE ET ALCOOL
2,3 g/l et 13,5 %

CODE SAQ
11676436

ACCORDS
En début de semaine, rien de mieux que de se préparer en famille une belle pizza maison bien garnie. La tomate, la pâte de tomate, les épices provençales, les olives noires, le fromage gratiné, les tranches de saucisses italiennes et le filet d'huile d'olive feront craquer cet agréable rouge du sud de la France.

ÉPICES, LAVANDE, FLEURS MAUVES ET POIVRE LONG.

De délicieuses cuvées sont élaborées en mode monocépage avec la syrah, et ce, sous des climats solaires et méditerranéens aussi bien que dans des contrées plus fraîches. Ce cépage juteux et souvent racoleur a longtemps été mon favori dans le rouge. Mais deux autres «sortes de raisins rouges» m'ont procuré encore plus d'émotions en dégustation ces dernières années. Le pinot noir de la Côte de Nuits et le Nebbiolo du Barolo et du Barbaresco. Les rouges faits de syrah restent quand même mes «premières amours» et de temps à autre je savoure avec toujours autant de plaisir un divin côte-rôtie, un complexe hermitage ou une cuvée de haute voltige australienne, bourrée de fruits, issue de shiraz (cette même syrah!).

Vos lundis, mardis ou mercredis seront plus colorés en sa présence! Sa couleur reluisante et violacée annonce un vin qui est présentement sur la jeunesse de son fruit. C'est bavard au nez, et le vin libère des notes d'épices, de lavande, de fleurs mauves, de poivre long. La bouche est bien garnie, fournie, et étonnamment complexe pour une quille coûtant seulement 15 $. Comme quoi nous n'avons pas toujours à débourser 20 ou 30 $ pour mettre la main sur une goûteuse et gourmande syrah. Le rouge du Pays d'Oc que je salue ici en est la preuve liquide!

ROUGE

DANS LA MÊME LIGNÉE :
Les Traverses
Paul Jaboulet Aîné 2014
CODE SAQ : 00543934
PRIX : 15,95 $

3 105714 450145

Soli Edoardo Miroglio 2014

15,³⁰ $

ORIGINE
Thracian Valley – Bulgarie

CÉPAGE
Pinot noir

À SERVIR À
15 °C

CARAFE
-

À BOIRE AVANT
2018

SUCRE ET ALCOOL
2 g/l et 13,5 %

CODE SAQ
11885377

ACCORDS
Un poulet BBQ en semaine, quelques frites croquantes et une sauce brune ne feraient pas honte à cette simple, mais combien efficace cuvée européenne. N'oubliez pas la salade de chou crémeuse ou traditionnelle !

LE MEILLEUR PINOT NOIR À 15 $.

Vous êtes nombreux à m'écrire que vous êtes tombés sous le charme d'un divin pinot noir bourguignon, ontarien, néo-zélandais ou américain. Par la suite, vous désirez en goûter d'autres et, une fois sur deux, vous restez sur votre soif… En effet, ce ne sont pas tous les pinots qui vous donneront du plaisir en dégustation. Très peu de terroirs de la planète vin sont aptes à nous livrer des vins dignes de mention faits de ce formidable cépage. De plus, il faut plonger la main assez profondément dans sa poche pour en acheter un bon. Donc, quand de nouveaux amoureux de ce type de raisin me demandent une liste de quelques bons pinots noirs à moins de 20 $, je me gratte le coco en ciboulot… Il faut sortir au moins 20-25 $ pour en trouver un qui rendra bien honneur à notre palais. Y a-t-il des exceptions ? Oufff, très peu. Cela dit, ce vin bulgare est de loin le meilleur à 15 $ qui s'est retrouvé dans mon verre Riedel à ce jour.

La pire chose à faire serait de comparer celui-ci à un délicat cru de la Côte d'Or ou à un caressant et tout en dentelle pinot de l'île du Sud, en Nouvelle-Zélande. On n'est pas là du tout, les amis ! Par contre, nous avons été charmés par sa franchise, son acidité et son agréable fraîcheur. La coloration tuilée, briquée et quelque peu orangée n'est pas très invitante. Le nez aux notes de cuir, de feuilles mortes et de fruits bien mûrs est différent, hors du commun, quelque peu déroutant, mais pas désagréable pour autant. Si vous me l'aviez servi sans me dire ce que c'était, j'aurais probablement opté pour un rouge jurassien fait de poulsard, et non pour un vin bulgare. Je le répète, ce «joli Soli» est le meilleur rouge fait de pinot noir à 15 $ que j'ai bu jusqu'à présent.

DANS LA MÊME LIGNÉE :
Pinot Noir Organico
Cono Sur 2015
CODE SAQ : 11386877
PRIX : 16,80 $

ROUGE

Château la Lieue 2014

15,⁵⁰ $

ORIGINE
Coteaux Varois en Provence – Provence –
France

CÉPAGES
Grenache, syrah, cabernet sauvignon,
carignan, mourvèdre

À SERVIR À
15 °C

CARAFE
-

À BOIRE AVANT
2018–2019

SUCRE ET ALCOOL
2,1 g/l et 13 %

CODE SAQ
00605287

ACCORDS
Optez pour une pizza végétarienne ou pour
une «vitaminée» ratatouille de légumes du
jardin. Le vin n'a pas vraiment l'ossature ni
la structure nécessaires pour faire face à
des viandes saignantes grillées.

3 760015 200013

D'UNE « GLOUGLOUBILITÉ » ÉPATANTE !

Ce joli vin rouge est mis en bouteille par la famille Vial, en plein cœur du pays des cigales, du pastis, de la pétanque et de la sieste : la Provence. Les Vial travaillent la vigne en culture bio. Donc, aucun ajout de pesticides, de fongicides, d'herbicides, d'engrais chimiques ou autres produits chimiques de synthèse dans les champs de vignes. À moyen ou à long terme, les sols seront plus «vivants» et la vigne aura un meilleur système immunitaire pour combattre les diverses maladies. Si on le fait par souci de l'environnement et par respect du terroir, c'est génial ! Par contre, il est déplorable de voir que de nombreux producteurs le font simplement pour des raisons de marketing, pour attirer plus de consommateurs… De toute façon, bio ou pas, le vin doit d'abord et avant tout être bon, point à ligne !

Cet assemblage de cinq cépages est issu de vignes âgées de 15 à 75 ans, plantées entre Aix-en-Provence et Saint-Tropez — les chanceuses ! Le résultat est fort agréable, car le vin est d'une «glougloubilité» épatante. Ce n'est pas le plus bavard sur le plan aromatique, mais il sent quelque peu la fraise des champs et la végétation sauvage du sud de la France. C'est souple, frais, peu tannique et de «bonne descente». Le rosé du même producteur, offert au Québec, est tout simplement impeccable !

ROUGE

DANS LA MÊME LIGNÉE :
Château Montauriol Tradition 2014
CODE SAQ : 00914127
PRIX : 15,50 $

Blés
Aranleon 2013

15,⁸⁰ **$**

ORIGINE
Valence - Espagne

CÉPAGES
Mourvèdre, tempranillo

À SERVIR À
15-16 °C

CARAFE
-

À BOIRE AVANT
2018-2019

SUCRE ET ALCOOL
2,5 g/l et 13,5%

CODE SAQ
10856427

ACCORDS
Son profil frais et hyperdigeste s'agencera très bien avec une belle assiette de charcuteries, du saucisson, des rillettes, des terrines ou du pâté de campagne...

UN VIN BOURRÉ DE VITALITÉ ET D'ÉNERGIE.

Tout au début de ce guide, la section appelée *Top Vin* dénombre nos 20 meilleurs rapports qualité/prix/plaisir de notre année de dégustation. Des vins dont le prix oscille entre 10 et 40$, qui nous ont procuré d'abord et avant tout plaisir et entière satisfaction en dégustation. Cette liste est établie par Mathieu et moi en toute fin de rédaction du bouquin. Chacun de notre côté, nous choisissons nos 20 meilleures aubaines de l'année, et ensuite nous nous rencontrons pour discuter de nos choix. Ces 20 produits sont sans équivoque des vins à acheter les yeux pratiquement fermés. Donc, si vous désirez vous constituer une réserve de bonnes quilles à la maison, allez-y par caisses de 6, car ces 20 Tops Vins sont à ne pas manquer. Cela dit, les plus sceptiques devraient d'abord faire l'achat de ce flacon ibérique à moins de 16$, qui mérite entièrement sa place dans le Top Vin, car c'est toute une emplette à ce prix !

On sent les parfums d'un vin bourré de vitalité et d'énergie. Est-ce parce que les vignes sont issues d'une culture biologique ? Peut-être. C'est pulpeux, friand, juteux et superinvitant à l'olfactif. Cette cuvée Blés est pas mal moins rustique ou *wild* que dans les millésimes précédents, et tout simplement meilleure que par le passé. Sa fraîcheur et son éclat gustatif me font penser à certains vins nature (sans ajout de sulfite). Totalement charmé, *love at the first taste* !

ROUGE

LADERAS DE EL SEQUÉ
ALICANTE

PRODUCED BY ARTADI SINCE 1999

DANS LA MÊME LIGNÉE :
Laderas de El Sequé
Artadi 2014
CODE SAQ : 10359201
PRIX : 15,75 $

8 411976 112116

Borsao Crianza 2012

15,⁸⁵ $

ORIGINE
Campo de Borja – Aragon – Espagne

CÉPAGES
Grenache, tempranillo, cabernet sauvignon

À SERVIR À
15–16 °C

CARAFE
–

À BOIRE AVANT
2018–2019

SUCRE ET ALCOOL
3,1 g/l et 14,5 %

CODE SAQ
10463631

ACCORDS
Un macaroni en sauce tomate et à la viande, gratiné d'un bon fromage du Québec, lui sera de bonne amitié. Avec un brin de chauvinisme à l'égard du village où j'ai grandi, je vous recommande le maintes fois médaillé Alfred Le Fermier, de Compton, dans les Cantons-de-l'Est.

8 412423 120487

NOTES AFFIRMÉES DE RÉGLISSE, CONFITURE, FRUITS MÛRS.

Encore cette année, nous avons eu la chance de goûter les sept cuvées de la cave de Borsao qui sont offertes sur nos tablettes. Mis à part le Tres Picos (le plus cher de la gamme), tous les vins de ce producteur nous ont procuré du plaisir et de la satisfaction en dégustation. Le blanc, issu de macabeo, est ravissant pour son prix, et le rosé, baptisé Rosado Seleccion, est formidable. Voilà deux vins à 13-14 $, complètement secs (sans la moindre trace de sucre résiduel), à acheter par caisses de 6 quand arrive le printemps !

Le « jus » dans la bouteille est peut-être ibérique, mais il a des allures assez *new world* à cause des notes affirmées de réglisse, de confiture, de fruits mûrs, mais aussi des aguichantes flaveurs de barrique de chêne. De plus, on frôle les 15 % d'alcool, comme pour de nombreux vins rouges du Nouveau Monde. Il a peut-être déjà 5 ans, mais les tanins sont encore présents et passablement serrés. Son côté torréfié et son fruit abondant feront belle figure sur des plats gratinés, mais également sur les grillades barbecue.

DANS LA MÊME LIGNÉE :
Syrah
Finca Antigua 2012
CODE SAQ : 10498121
PRIX : 16,05 $

Le Focaie Rocca di Montemassi Zonin 2012

15,⁹⁵ $

15,⁹⁵ $

ORIGINE
Maremma – Toscane - Italie

CÉPAGE
Sangiovese

À SERVIR À
16-17 °C

CARAFE
-

À BOIRE AVANT
2018-2019

SUCRE ET ALCOOL
5,1 g/l et 13,5 %

CODE SAQ
11184968

ACCORDS
Quelques pointes d'une simple mais combien efficace focaccia maison aux olives, ou une assiette de spaghettis en sauce tomate aux boulettes de viande, et vous serez heureux comme un Italien quand il sait qu'il aura de l'amour et du… VIN !

UN VIN JOLI ET PLAISANT.

Des dizaines de rouges de l'enivrante Toscane se retrouvent dans mes coups de cœur lors de mes chroniques à la télé, dans les journaux, sur le Web ou à la radio. Pourquoi? C'est simple : parce que j'adore cette région et les vins qu'on y produit! Pas tous, bien sûr, mais ils sont nombreux. À l'instar de la Bourgogne, de la Catalogne, de la Champagne, du Bordelais, de la vallée de Napa, du Jura et de la Moselle, la Toscane fait partie selon moi des plus célèbres régions viticoles du monde. De très grands vins y sont produits. Nous n'avons qu'à penser aux brunello-di-montalcino, aux chiantis classico, aux crus de la Maremma ou même aux «supertoscans» de la Bolgheri. De nombreux rouges toscans sont romantiques, sensuels, envoûtants, quasi aphrodisiaques et aptes à vous procurer de grandes émotions en dégustation. Et ce, autant en solo, lors d'un tête-à tête amoureux, qu'autour de la table, car ils s'harmonisent avec une foule de créations culinaires. *Viva Toscana!*

Bon, allez, celui-ci ne vous fera certainement pas monter au ciel, mais il est savoureux et pleinement satisfaisant si on tient compte de son modeste prix. Ses quatre ans d'évolution lui vont à merveille et le produit est prêt à être bu dès maintenant. Des notes de cuir, de raisin sec et de fruits cuits se font sentir. En bouche, les tanins sont présents, mais assez fondus dans l'ensemble. C'est facile à boire, plaisant, et sans la moindre trace de «maquillage technologique». Un vin joli qui ne se prend pas pour un divin chianti!

ROUGE

DANS LA MÊME LIGNÉE :
Superiore Burchino Chianti
Castellani 2014
CODE SAQ : 00741272
PRIX : 18,55 $

8 002153 995464

Héritages Ogier 2015

15,⁹⁵ $

ORIGINE
Côtes du Rhône – Rhône – France

CÉPAGES
Grenache, syrah, mourvèdre

À SERVIR À
15–16 °C

CARAFE
–

À BOIRE AVANT
2019–2020

SUCRE ET ALCOOL
1,8 g/l et 14 %

CODE SAQ
00535849

ACCORDS
Le vin impeccable pour un *Monday Night Football* automnal ! Pointes de pizza ou de focaccia, pilons de poulet, nachos bien garnis… #simplicité #efficacité

0 714320 135006

SON ACCENT DU SUD LUI VA À MERVEILLE!

Vous n'avez pas fini d'entendre parler de la splendide récolte française (et d'un peu partout aux quatre coins du continent européen!) de 2015! Certains vignerons ont simplement déclaré que ce fut un millésime béni des dieux! Complet, généreux, solaire… Une année d'anthologie fort attendue par les collectionneurs de «gros jus» bordelais, toscans, bourguignons, rhodaniens… Y aura-t-il surenchère et les prix exploseront-ils dans certaines appellations? On verra. Pour l'instant, ne cherchez pas les cuvées de haute voltige de ce millésime : elles seront libérées dans les prochains mois seulement (elles sont maintenant en élevage, pour «vieillir» tout doucement en barriques et en bouteilles). Par contre, de nombreux blancs, et des rouges à prix plus modeste de cette ravissante récolte, sont offerts sur les tablettes. À vous d'en profiter!

Parmi les 2015 que nous avons dégustés ces derniers mois, citons le plus réussi que jamais Pétale de Rose de Régine Sumeire, l'éclatant chablis de Drouhin à seulement 25 douilles, la déstabilisante cuvée d'entrée de gamme du Clos Bagatelle à prix d'ami, et ce côtes-du-rhône nommé Héritages (et non Hermitage!) de la maison Ogier. Il n'aura jamais été si pourvu de matière! Il suit très bien les traces de ses frangins aînés des magnifiques cueillettes rhodaniennes de 2007 et 2010. C'est visuellement violacé, voire très «mauve». En bouche, on dirait que le vin vient à l'instant d'être soutiré de la cuve, tellement c'est «jus de fruit», primaire, juteux et énergique. Son «accent» du sud lui va à merveille!

ROUGE

DANS LA MÊME LIGNÉE :
Les Vignes de Bila-Haut
M. Chapoutier 2014
CODE SAQ : 11314970
PRIX : 16,95 $

Luzon
2014

16,⁵⁵ **$**

ORIGINE
Jumilla – Murcia – Espagne

CÉPAGES
Mourvèdre, syrah

À SERVIR À
16 °C

CARAFE
-

À BOIRE AVANT
2019-2020

SUCRE ET ALCOOL
2,6 g/l et 14 %

CODE SAQ
10858158

ACCORDS
Calmez sa fougue en lui servant une viande grillée de cuisson saignante. Une bavette de bœuf, échalotes et vin rouge, et cette quille hispanique formeront un dynamique duo.

PARFUMS D'ÉPICES, POIVRE, CACAO ET CAFÉ.

Entre les villes de Murcie et Valence, dans le sud-est de l'Espagne, se trouve cette appellation peu connue, Jumilla. C'est pourtant une zone viticole importante, qui possède pas moins de 25 000 hectares de vignes (par comparaison, le Canada en entier n'en compte que 10 000). On y trouve principalement un cépage nommé «monastrell», plus connu en France sous le nom de «mourvèdre». En Californie, on l'appelle «mataro». Ce cépage a besoin de nombreuses heures d'ensoleillement pour arriver à pleine maturité. Ça tombe bien, car à Jumilla il y a du soleil «à revendre», et pas à peu près! En effet, «Galarneau» est au rendez-vous de 310 à 315 jours par année… Imaginez, nous n'avons même pas eu ça dans les cinq dernières années au Québec, 300 jours de soleil!

Alors, ce Luzon, il est bon? Tout à fait, et, selon moi, ce 2014 est plus réussi que jamais! Le nez est plus expressif, et la bouche, plus joufflue que dans les millésimes précédents. Les 30-35 % de syrah dans l'assemblage lui confèrent des parfums d'épices et de poivre long, vachement invitants au nez. On peut aussi sentir des notes de poudre de cacao, de café torréfié… C'est bien fourni, dans l'ensemble assez tannique, et de bien bon goût.

ROUGE

DANS LA MÊME LIGNÉE :
Donnadieu Les Sentiers de Bagatelle
Simon 2013
CODE SAQ : 00642652
PRIX : 17,90 $

8 015822 000017

Allegrini 2014

16,⁶⁰ $

ORIGINE
Valpolicella – Vénétie – Italie

CÉPAGES
Corvina, rondinella, oseleta

À SERVIR À
16 °C

CARAFE
-

À BOIRE AVANT
2019

SUCRE ET ALCOOL
4,1 g/l et 13 %

CODE SAQ
11208747

ACCORDS
Faites votre Roméo romantique et sortez la pâte à pizza, la sauce tomate, le parmesan reggiano, les feuilles de basilic frais, les tranches de saucisses italiennes, les épices, et préparez-lui une «pizz» maison à votre façon ! Nombreux autres plats en sauce tomate succomberont au charme de ce joli rouge du Valpolicella.

UN VIN GOÛTEUX,
AUX NOTES DE FRUITS BIEN MÛRS.

Le répertoire de la SAQ propose une centaine de rouges de la région de Valpolicella. Pour les avoir presque tous goûtés ces dernières années, je peux affirmer que ce ne sont pas tous des «grands crus», pour rester poli! Les vins de cette zone sont donc capables du meilleur comme du pire. Et je ne parle pas seulement des jeunes rouges, mais également de leurs frères aînés comme les ripassos et les amarones. Quand c'est bon, par contre, on regrette que la bouteille ne soit pas plus grosse! Dirigez-vous vers des producteurs fiables tels Alighieri, Masi, Nicolis, Cesari, Tommasi, Tedeschi, Marion ou Allegrini. La gamme de leurs vins est vaste. Ça va de fioles aux alentours de 15$ à des bouteilles qui pourront solidement malmener votre compte bancaire.

Disons que cet Allegrini 2014 nous a agréablement surpris lors de sa dégustation au printemps 2016. C'est un produit régulier que je déguste annuellement pour la rédaction de mon bouquin du vin, et il ne m'avait jamais procuré tant de plaisir. À mon avis, il est donc un cran supérieur aux millésimes précédents. Sa couleur rouge cerise nous invite à le humer et à y goûter. Le nez, passablement ouvert, déploie des notes de fruits bien mûrs. Un vin peu tannique, goûteux, bien garni et sans débordement d'alcool ou de bois.

ROUGE

DANS LA MÊME LIGNÉE:
Valpolicella Classico Superiore
Zenato 2013
CODE SAQ: 00908186
PRIX: 18,10$

0 641734 000074

Artazuri 2014

16,⁹⁰ $

ORIGINE
Navarre - Espagne

CÉPAGE
Grenache

À SERVIR À
15 °C

CARAFE
-

À BOIRE AVANT
2018

SUCRE ET ALCOOL
2,6 g/l et 14 %

CODE SAQ
10902841

ACCORDS
Une festive et olé olé soirée de plats
mexicains et cette juteuse quille ibérique
deviendront assurément de bons copains
après un ou deux verres ! Quesadillas,
tacos, nachos, chili ou burritos…

0 877397 002012

Rencontre-dégustation avec le célèbre
critique américain Robert Parker.

SIROP DE GRENADINE, JUS DE CANNEBERGE, CONFITURE DE FRAMBOISES.

Au cours de l'élaboration de ce livre, plus d'une centaine de vins rouges espagnols passent dans notre coupe annuellement. Ces 4-5 dernières années, nous avons remarqué que ce sont souvent les moins dispendieux qui nous ont fait sourire le plus. De nombreuses cuvées, parfois plutôt ambitieuses, se sont donné des airs un peu trop «modernes» dans ce beau pays hispanique. Opulente richesse, grande concentration, exubérantes notes de bois neuf… Mais ce genre de produit n'est pas toujours ma tasse de thé! Comme les cuvées d'entrée de gamme les plus abordables ne sont presque pas (ou pas du tout!) boisées ni trop concentrées, elles en acquièrent souvent fraîcheur et digestibilité, ce qui augmente l'indice de «buvabilité» d'un vin, les amis!

Le rouge fait de grenache que je salue ici, d'une couleur peu profonde, se boit sans que nous nous creusions les méninges. Rangez votre carafe, il n'en a pas besoin, puisqu'il est bien ouvert sur le plan aromatique. Et quelle belle expression du fruit! Invitantes notes de sirop de grenadine, de jus de canneberge, de confiture de framboises. C'est peu tannique, glissant à souhait, et je gage qu'il vous sera bien difficile de n'en boire qu'un verre… On frôle peut-être les 15 % d'alcool, mais ça ne rend pas le vin capiteux ni encombrant en bouche. Faites des réserves pour la venue de nombreux convives à un méchoui! Habituellement, le grenache se lie d'amitié avec la syrah, le mourvèdre et compagnie dans un assemblage, mais, ici, il est seul comme un grand dans la cuvée, et absolument rien ne cloche. Miam! c'est juste bon!

ROUGE

DANS LA MÊME LIGNÉE :
Ponant
Domaine Magellan 2013
CODE SAQ : 00914218
PRIX : 16,30 $

3 760037 011482

Oso Castello d'Albola 2013

16,⁹⁵ $

ORIGINE
Toscane – Italie

CÉPAGES
Sangiovese, merlot, syrah

À SERVIR À
16 °C

CARAFE
–

À BOIRE AVANT
2018 – 2019

SUCRE ET ALCOOL
2,7 g/l et 13 %

CODE SAQ
12665481

ACCORDS
Pas besoin d'y aller avec un plat de haute voltige pour bien escorter ce juteux rouge italien. Quelques burgers bien garnis de poivrons multicolores, de champignons et de belles tranches de fromage lui conviendront très bien.

UN GOURMAND DE LA PITTORESQUE TOSCANE.

La vie serait donc triste si l'on buvait toujours les mêmes bouteilles jour après jour. Que l'on soit d'accord ou pas avec la façon de fonctionner de notre monopole de la SAQ, on peut quand même lui lever notre verre pour le remercier de nous proposer tant de produits différents. Plus de 12 000 alcools issus de près de 70 pays sont vendus dans les succursales. C'est un «terrain de jeu» génial pour l'amoureux du vin, car on a du choix en ciboulot! N'oubliez pas que, si vous allez à Buenos Aires, vous allez boire du vin argentin, en Nouvelle-Zélande, vous boirez des crus néo-zélandais, et ainsi de suite… Au Québec, nous avons la chance de goûter des cuvées de pratiquement tous les pays de la planète vin. Pourquoi je vous raconte tout ça? C'est simple: parce que voici un nouveau venu (un autre!) sur nos tablettes!

Ce rouge est peut-être embouteillé en plein cœur de la pittoresque Toscane, mais nous sommes loin d'un vin classique ou d'un assemblage typique de cette superbe région. Vous y trouverez une bonne part de sangiovese, mais également des cépages internationaux, comme de la syrah et du merlot. Il est simplement baptisé OSO, ce qui veut dire «J'OSE». C'est une bouteille au contenu moderne, mais sans la présence de bois ou de sucre résiduel. Un beau fruit est présent et il est passablement gourmand. Le Château d'Albola, qui élabore ce vin, nous propose deux autres vins de Chianti Classico tout à fait recommandables.

DANS LA MÊME LIGNÉE:
Pago de Cirsus
Bodegas Inaki Nunez 2012
CODE SAQ: 11222901
PRIX: 18,15$

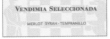

Château Eugénie 2013

17,⁰⁰ $

ORIGINE
Cahors – Sud-Ouest – France

CÉPAGES
Malbec, merlot

À SERVIR À
17 °C

CARAFE
30–45 minutes

À BOIRE AVANT
2020–2021

SUCRE ET ALCOOL
1,7 g/l et 12,5 %

CODE SAQ
00721282

ACCORDS
Un vin aussi réconfortant mérite du *comfort food* automnal ou hivernal. Une tourtière, un ragoût de boulettes, un pain de viande maison, un bœuf bourguignon…

3 558501 001004

CARACTÈRE, GOÛT, PERSONNALITÉ !

Non, ce domaine du sud-ouest de la France n'appartient pas à la pétillante et énergique tenniswoman québécoise Eugénie Bouchard ! On parle plutôt ici d'un domaine privé qui appartient à la famille Couture depuis 1470. Donc, une tradition familiale s'étirant sur de nombreuses générations, et près de 550 ans d'histoire viticole. Cela dit, ce rouge est à cent lieues des cahors que nos parents buvaient dans les années 1970-1980, des vins souvent costauds, rustiques, puissants, fort tanniques, austères et quasi imbuvables en jeunesse. Il fallait attendre 5 ou 10 ans pour les apprécier à leur juste valeur. Aujourd'hui, de plus en plus de vins de cette appellation, connue mondialement, peuvent être consommés sur la jeunesse de leur fruit. Je pense au Clos La Coutale de la famille Bernède, à la cuvée Le Combal du duo Cosse et Maisonneuve, ou aux épatantes quilles du Château du Cèdre. Si vous les achetez pour les consommer rapidement et non pour les faire vieillir, offrez-leur de l'oxygène en carafe et ils vous le rendront bien.

Pour un «petit» 17 $, ce vin ne manque pas de caractère, ni de goût, ni de personnalité ! Disons que ce n'est peut-être pas le candidat parfait pour l'apéro au bord de la piscine en plein mois de juillet. Gardez-le plutôt pour mettre de la couleur dans les mois où l'on perd des heures d'ensoleillement, car c'est selon moi un vin automnal parfait. Des notes de fruits noirs, de cheminée refroidie et de café moulu sont présentes. Le vin est tannique, mais pas agressif ni imposant du tout. On apprécie son «discret» 12,5 % d'alcool.

ROUGE

DANS LA MÊME LIGNÉE :
Clos La Coutale
Bernède et Fils 2014
CODE SAQ : 00857177
PRIX : 16,20 $

Ilico
Illuminati 2013

17,⁰⁵ **$**

ORIGINE
Montepulciano d'Abruzzo – Abruzzes –
Italie

CÉPAGE
Montepulciano

À SERVIR À
16 °C

CARAFE
20–30 minutes

À BOIRE AVANT
2018-2019

SUCRE ET ALCOOL
2,5 g/l et 13,5 %

CODE SAQ
10858123

ACCORDS
Un vin qui sera aussi habile à table, sur
des plats mijotés, qu'autour du barbecue
avec des viandes grillées. Donc, dans
l'ordre ou dans le désordre, burgers, bouilli
de bœuf, côtelettes de porc, ragoût,
alouette !

8 000268 750237

DES ÉMANATIONS DE FIGUE SÉCHÉE, DE RAISIN FLÉTRI, DE CASSONADE ET DE BOIS NEUF.

Le cépage rouge qui est roi et maître dans les Abruzzes, c'est le montepulciano. D'ailleurs, quand vous voyez l'appellation Montepulciano d'Abruzzo sur l'étiquette d'un vin italien, cela signifie que c'est du montepulciano qui vient des Abruzzes, sur la côte est italienne. Cette variété de raisin est capable du pire et, de temps à autre, du meilleur… Disons qu'on en goûte trois ou quatre douteux avant d'en déguster un bon, si on achète les bouteilles au hasard, sans tenir compte des personnes qui les signent. Il s'agit d'une variété de raisin que l'on trouve principalement dans les Abruzzes, mais également dans la région des Marches (le mollet de la botte italienne !). C'est souvent rustique et pas toujours hyperinvitant ou séduisant au nez. Disons que si vous ne jurez que par les parfums artificiels de gomme balloune, de vanille, de noix de coco et de caramel de nombreux shiraz, malbecs, cabernets ou zinfandels du Nouveau Monde, ce ne sera vraiment pas votre tasse de thé.

Après une aération en carafe pour bien dégourdir le vin, vous humerez des émanations de figue séchée, de raisin flétri, de cassonade (sucre brun), et de légers effluves de bois neuf. La bouche est expansive, goûteuse et assez tannique. Le monopole propose deux autres cuvées du domaine Illuminati, qui sont selon moi sans reproche.

ROUGE

DANS LA MÊME LIGNÉE :
Cadetto
Podere Castorani 2012
CODE SAQ : 12494651
PRIX : 19,15 $

Quinta dos Roques 2013

17,25 $

ORIGINE
Dão – Beiras – Portugal

CÉPAGES
Touriga nacional, jaén, alfrocheiro, tinta roriz

À SERVIR À
16 °C

CARAFE
-

À BOIRE AVANT
2018–2019

SUCRE ET ALCOOL
3,2 g/l et 13,5 %

CODE SAQ
00744805

ACCORDS
Un burger bien garni à la viande chevaline, au wapiti ou à l'agneau et quelques frites de pommes de terre douce lui seraient en bien bonne harmonie.

5 603792 001399

COUP DE CŒUR!

Certaines zones ou appellations d'origine souffrent de la notoriété des appellations voisines. Par exemple, à quelques pas de la célèbre commune de Châteauneuf-du-Pape, se trouve le petit village de Lirac. Vous me direz qu'il est pas mal plus facile de vendre une quille de châteauneuf qu'un lirac, et vous avez bien raison! Même son de cloche pour des appellations moins connues, comme Fronsac et Côtes-de-Bourg, situées non loin de Pomerol et de Saint-Émilion, dans le Bordelais. Je vous raconte tout ça parce que le vin que je vous propose ici est fait dans le Dão, région peu connue située immédiatement au sud d'une des plus prestigieuses zones viticoles de la planète vin, le Douro, où l'on élabore le porto. Donc, oui, le commun des mortels connaît bien le Douro, mais il est peu probable qu'il connaisse le Dão… Pourtant, des perles à prix parfois alléchant y sont vinifiées.

Ce vin principalement fait de touriga nacional, de la cueillette de 2013, a été un véritable coup de cœur pour nous, à l'aube de l'été 2016! Il est bien garni, son fruité est passablement généreux, et c'est gourmand, mais pas imposant pour un sou. Goûteux, fourni, pas trop alcoolisé, et un brin charnu. Pourquoi ne pas sortir 50$ de vos poches pour allonger dans votre réserve trois quilles de cette valeur sûre?

ROUGE

DANS LA MÊME LIGNÉE:
Cortes de Cima
2012
CODE SAQ: 10944380
PRIX: 20,05$

Ventoux Quiot 2014

17,²⁵ $

ORIGINE
Ventoux – Rhône – France

CÉPAGES
Carignan, grenache, cinsault, syrah

À SERVIR À
15–16 °C

CARAFE
–

À BOIRE AVANT
2018–2019

SUCRE ET ALCOOL
2,9 g/l et 13,5 %

CODE SAQ
10259788

ACCORDS
Un simple steak-frites de milieu de semaine serait une bonne symbiose, mais vous pourriez également regarder la bouteille descendre assez rapidement avec les amis autour d'une fondue chinoise.

3 345120 613196

UN ROUGE JEUNE ET FACILE.

La famille Quiot, qui met en bouteille ce rouge du Rhône méridional, possède de nombreux domaines et châteaux dans le Midi : Domaine Duclaux, Domaine Houchart, Château du Trignon, Les Combes d'Arnevel, mais aussi le célèbre domaine du Vieux Télégraphe à Châteauneuf-du-Pape. Les Quiot façonnent la vigne dans le sud de la France depuis 1748. Ils font beaucoup de rouges, quelques rosés et quelques fioles de blanc. N'oubliez pas que les zones viticoles au climat chaud et méditerranéen, comme le Rhône Sud, le Languedoc-Roussillon ou la Provence, produisent très peu de vins blancs. En France, les blancs proviennent plutôt de l'Alsace, de la Loire et de la Champagne…

Ce jeune et facile vin rouge de la vaste région du Ventoux (une appellation qui comprend pas moins de 6 000 hectares de vignes) charme par sa souplesse, son côté digeste et peu tannique. Comme de nombreux vins à base de grenache, sa couleur n'est pas hyperprofonde. Même si nous sommes dans un endroit où le soleil abonde (à moins d'une heure de route de la mer Méditerranée), ce vin n'est pas outrageusement alcoolisé ni hyperconcentré. C'est un beau coup de cœur qui nous a séduits rapido et qui mérite grandement sa place dans ce bouquin.

ROUGE

DANS LA MÊME LIGNÉE :
Pont Neuf
Petit Milord 2015
CODE SAQ : 00896233
PRIX : 17,00 $

Capitel Nicalò Tedeschi 2014

17,95 $

ORIGINE
Vénétie - Italie

CÉPAGES
Corvina, corvinone, rondinella, rossignola, oseleta

À SERVIR À
16–17 °C

CARAFE
30 minutes

À BOIRE AVANT
2021–2022

SUCRE ET ALCOOL
6,2 g/l et 14 %

CODE SAQ
11028156

ACCORDS
Un tajine d'agneau aux pommes de terre, oignons, citrons, carottes… bien parfumé d'herbes et d'épices tels du basilic, curcuma, coriandre, cannelle, safran… Le Maroc et l'Italie s'uniront à merveille à table sur ce mariage réussi !

8 019171 000155

DES EFFLUVES CHOCOLATÉS EXQUIS.

Le passage de Ricardo Tedeschi à Québec, au printemps 2016, a été remarqué, et pas seulement pour la simplicité et l'accessibilité de l'homme. Ses vins nous ont agréablement séduits en dégustation. On peut parler de ses étoffés et fort goûteux ripassos, de ses généreux et imprégnants amarones, mais également de ce jeune et fougueux Capitel Nicalò qui s'avère une solide emplette à moins de 18 $. À l'instar de son frangin aîné, l'amarone, les raisins sont séchés dans le but d'aller chercher de la concentration et de la richesse. Les grappes de ce Nicalò ont subi un passerillage de seulement un mois, alors que celles des amarones peuvent être laissées à elles-mêmes pour un passerillage de 90 à 100 jours.

Même si je vous suggère une légère aération de ce produit en carafe, ça ne veut pas dire que son olfactif est complètement muet pour autant. Au contraire, le produit est bien bavard et il libère des notes de café moka, de raisin sec, de bois neuf, de caramel, et des effluves chocolatés exquis. Une bouche dodue et des tanins abondants nous sont offerts. Donc, oui, nous sommes à cent lieues d'un rouge qui se prend pour un grand amarone, mais nous sommes également bien loin devant de nombreux «discutables» pinards coûtant 20-22 $ la quille!

ROUGE

DANS LA MÊME LIGNÉE :
Arele
Tommasi 2013
CODE SAQ : 11770836
PRIX : 20,00 $

3 760086 380034

Château Pelan Bellevue 2010

18,00 $

ORIGINE
Côtes de Francs – Bordeaux – France

CÉPAGES
Merlot, cabernet sauvignon, cabernet franc

À SERVIR À
16–17 °C

CARAFE
-

À BOIRE AVANT
2018–2019

SUCRE ET ALCOOL
1,4 g/l et 13,5 %

CODE SAQ
10771407

ACCORDS
Des plats en croûte tels l'agneau, le jambon fumé ou le rôti de bœuf lui conviendront haut la main.

HARMONIEUX EFFLUVES DE CÈDRE FRAIS, DE POIVRON RÔTI.

On peut dire que j'en ai de la chance! La vie m'a offert deux merveilleux petits garçons qui rigolent du matin au soir et qui sont émerveillés et fascinés par à peu près tout ce qu'ils découvrent. Thomas est né le 30 septembre, lors de la splendide récolte de l'année 2010, et Théodore est arrivé dans le monde le 21 avril, au moment où les bourgeons des vignes sortaient pour la cueillette de 2015. Deux grands millésimes! Et je ne parle pas seulement de mes fistons qui, oui, sont des «grands crus», mais également de ces deux années qui sont des millésimes tout simplement exceptionnels dans la plupart des zones viticoles de l'Europe ainsi que dans de nombreux terroirs du Nouveau Monde. Ma maman n'avait pas mis de 1973 (année assez difficile, disons-le, à Bordeaux et ailleurs) de côté après ma naissance, mais je peux vous gager un petit deux que Tom et Théo auront deux ou trois quilles de leur année de naissance respective, bien enfouies derrière les fagots, qu'ils pourront «déterrer» à leur majorité… En voici justement un pour vous, un rouge de Bordeaux de l'anthologique millésime 2010!

Au nez, on ne se trompe pas, ça sent le beau bordeaux. Harmonieux effluves de cèdre frais, de menthol, de poivron rôti… Le toucher de bouche est soyeux, les tanins sont veloutés, caressants, rien n'accroche et c'est fort bon! Si vous tendez l'oreille, vous entendrez que votre verre en «appelle» un autre tellement le vin est glissant et de bonne «descente». Dix-huit dollars? Ah oui, vraiment?

ROUGE

DANS LA MÊME LIGNÉE:
Château des Laurets
2012
CODE SAQ: 00371401
PRIX: 21,35$

Château Saint-Antoine 2012

18,⁰⁰ $

ORIGINE
Bordeaux supérieur – Bordeaux – France

CÉPAGES
Merlot, cabernet franc

À SERVIR À
16 °C

CARAFE
-

À BOIRE AVANT
2018

SUCRE ET ALCOOL
2,1 g/l et 13 %

CODE SAQ
10915263

ACCORDS
Vous pouvez rester dans le confort de vos vieilles pantoufles en y allant avec une classique symbiose agneau-bordeaux. Par contre, le résultat sera tout aussi concluant si vous l'escortez d'un hachis ou d'un Parmentier de bœuf.

PEU TANNIQUE, MAIS PAS MAIGRICHON.

On sent que l'engouement pour les vins de Bordeaux revient peu à peu aux quatre coins de la province. On peut en remercier l'événement «Bordeaux Fête le Vin à Québec», qui mobilise beaucoup de dégustateurs dans le Vieux-Port et qui nous rapproche des vins de cette notoire région viticole française. De superbes millésimes — 2005, 2009, 2010 et 2015 — nous donnent également envie d'allonger quelques flacons bordelais dans notre réserve. Qu'on aime ou non les cuvées de cette région, il reste qu'un grand bordeaux peut nous procurer des émotions comme très peu de vins savent le faire.

Faut-il toujours sortir 30, 40 ou 50 $ pour mettre la main sur une bonne bouteille de cette région ? Même si ce n'est pas l'endroit idéal pour faire les meilleures emplettes qualité/prix, il reste que certains rouges de Bordeaux à prix modéré peuvent agréablement nous charmer en dégustation. Cet assemblage de la famille Aubert en est un «môzusse» de bon exemple ! La jeune et dynamique vinificatrice Vanessa Aubert élabore avec brio ce rouge aux arômes typiquement bordelais. Notes de menthol, d'aiguisoir à crayon, de cèdre fraîchement haché… Ce 2012 est peu tannique, mais pas maigrichon pour autant.

ROUGE

DANS LA MÊME LIGNÉE :
Fronsac Chartier
Créateur d'Harmonies
Sélection Chartier 2012
CODE SAQ : 12068070
PRIX : 20,10 $

La Mascota 2013

18,00 $

ORIGINE
Mendoza – Argentine

CÉPAGE
Cabernet sauvignon

À SERVIR À
16 °C

CARAFE
-

À BOIRE AVANT
2019–2020

SUCRE ET ALCOOL
4 g/l et 14,5 %

CODE SAQ
10895565

ACCORDS
Mettez de la couleur dans votre salon en regardant le football, le hockey, le basket ou le baseball avec les amis et les créations culinaires des sportifs d'intérieur ! Ce cabernet sauvignon saura déclencher des fous rires assez rapidement lors des matchs avec les amigos !

C'EST BON, UN POINT C'EST TOUT !

Les copains débarquent avec des côtes levées, des pilons de poulet et quelques pizzas bien garnies pour venir se «vautrer» dans le divan en regardant le Super Bowl? Vous sortez deux ou trois bonnes bières du Québec et vous vous grattez le coco en vous demandant ce que vous pourriez bien leur verser comme type de vin dans l'verre pour escorter tous ces «plats santé» de sportifs de salon… Les plats de match de foot sont habituellement goûteux, quelque peu épicés et assez gras. Ça vous prendra donc des vins ayant de la chair autour de l'os et une certaine charpente. Un pulpeux shiraz australien, un fourni malbec argentin, un joufflu zin américain, une colorée carmenère chilienne…? Toutes ces réponses! Ce *king cab* d'Argentine ferait aussi bien bonne figure devant le match avec la gang!

Ce gourmand et bien garni cabernet sauvignon possède une bonne typicité de cette internationale variété de raisin. Il sent l'eucalyptus, le cèdre, le poivron vert… Il s'affiche comme un produit très «grand public», sans complexe ni grande complexité. Donc, non, pas trop de bois, pas de sucre résiduel (un maigre 4 g/l), pas de 15-16 % d'alcool… C'est bon, un point c'est tout! Toujours en terroir argentin, je vous recommande aussi chaudement les vins rouges de Catena, Trapiche, Norton, Nieto Senetiner, Zuccardi, Achaval Ferrer ou Lurton.

ROUGE

DANS LA MÊME LIGNÉE :
Cabernet Sauvignon
Château St-Jean 2013
CODE SAQ : 10967397
PRIX : 20,05 $

0 089819 796861

Palanca Tommasi 2013

18,00 $

ORIGINE
Vénétie – Italie

CÉPAGES
Corvina, rondinella, oselata

À SERVIR À
16–17 °C

CARAFE
–

À BOIRE AVANT
2020–2021

SUCRE ET ALCOOL
12 g/l et 13 %

CODE SAQ
11770756

ACCORDS
Un burger de porc effiloché et sa garniture de fromage 1608, de cornichons croquants, de juliennes de pomme et d'un ketchup maison? Oui!

Philippe a la chance d'animer plusieurs dégustations annuellement.

QUELLE BELLE SURPRISE!

Parmi le vaste choix de vins que nous propose la SAQ (plus de 9 000, quand même!), il y a tout près d'une cinquantaine d'amarones. Ce type de vin, souvent bien musclé, peut se conserver longtemps, voire très, très longtemps en cave. Sandro Boscaini, à la tête de la très connue maison Masi, m'a dit que l'Amarone Coastasera, qui coûte une quarantaine de dollars en magasin, pouvait être bu jusqu'à 40 ans suivant l'année de la vendange. Alors, si vous aimez ce genre de vin et si vous avez une réserve qui assure de bonnes conditions de conservation (et si vous avez une bonne dose de patience), allongez-en quelques bouteilles en cave. Elles vous le rendront bien après quelques années. Masi et Tommasi font partie des top producteurs de la Vénétie.

Ce Palanca a des similitudes organoleptiques avec son «grand frère», l'amarone. Il a certes moins de structure, de profondeur et de «biceps» que lui, mais il partage des petits airs de famille. C'est normal : il est fait dans la même zone viticole, avec les mêmes cépages et par un domaine qui met des milliers d'amarones en bouteille annuellement. Ses émanations de tabac blond, de poudre de cacao, de feuilles de cigare, et ses notes de chocolat nous embaument agréablement l'organe nasal. La bouche est facile, peu tannique, de bon goût, et la finale nous rappelle le moka chocolaté. Sa couleur aux reflets tuilés et quelque peu briqués n'était pas des plus invitante, alors quelle belle surprise nous avons eue en le dégustant!

ROUGE

DANS LA MÊME LIGNÉE :
Teroldego Rotaliano Riserva
Mezzacorona 2012
CODE SAQ : 00964593
PRIX : 18,80$

Pure
Trapiche 2014

18,00 $

TOP VIN

ORIGINE
Vallée de l'Uco – Mendoza – Argentine

CÉPAGE
Malbec

À SERVIR À
15–16 °C

CARAFE
–

À BOIRE AVANT
2018–2019

SUCRE ET ALCOOL
1,9 g/l et 15 %

CODE SAQ
12823397

ACCORDS
Glissez deux ou trois quilles de ce juteux malbec dans votre coffret à pêche, car il sera parfait pour votre prochain *trip* entre *boys*! Ou en rigolant autour d'une assiette géante de délicieuses charcuteries de la Réserve du Comptoir de Montréal! N'oubliez pas que pendant la saison de la truite, en mai-juin, l'eau du lac est encore frette en ciboulot. Profitez-en pour mettre cette bouteille à l'eau pour la rafraîchir!

RÉGLISSE NOIRE, ÉPICES, CRAYON-FEUTRE, JUS DE BLEUET.

Mon boulot de chroniqueur *vino* serait tellement plus facile si nous avions toujours déniché des vins aussi réussis et au même petit prix que celui-ci! Nous l'avons dégusté pour la toute première fois au début de mai 2016. Disons que ce fut une bien belle révélation pour Mathieu et moi. Les rouges de Trapiche sont souvent profonds, colorés, musclés et gorgés de soleil. Cette nouvelle cuvée, baptisée tout simplement « Malbec Pure », est nettement plus axée sur la fraîcheur et la « gouleyanse ». Son profil aromatique et gustatif n'est pas sans rappeler certains vins rouges naturels (vins sans ajout de soufre). C'est hyper « glouglou » et je gage que quatre ou cinq bons vivants autour d'une table verront le fond de la bouteille assez rapidement!

J'ai la chance, depuis une quinzaine d'années, de déguster une grande panoplie des produits de ce vignoble, Trapiche, connu mondialement. Sous le beau et chaud soleil de l'Argentine, le domaine met en bouteille des cabernets et des malbecs de très bonne qualité. Le jeune et pimpant malbec que je salue ici est d'une coloration invitante, très violacée. Oubliez l'heure ou deux d'aération en carafe, car il n'est pas timide pour un sou! Le nez est ouvert et bien engageant. Réglisse noire, épices, crayon-feutre, jus de bleuet… La bouche a une belle sève, c'est pulpeux et « quasi cochon », à la limite! Disons qu'il porte très bien son nom, car c'est « Pure » en ciboulot comme type de produit.

ROUGE

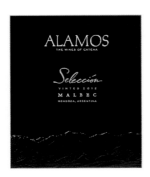

DANS LA MÊME LIGNÉE :
Malbec Selección
Alamos 2013
CODE SAQ : 11015726
PRIX : 19,05 $

0 085000 018200

La Montagnette
Les Vignerons
d'Estézargues 2015

18,¹⁵ $

ORIGINE
Côtes du Rhône Villages Signargues –
Rhône – France

CÉPAGES
Grenache, syrah, carignan, mourvèdre

À SERVIR À
15–16 °C

CARAFE
–

À BOIRE AVANT
2020–2021

SUCRE ET ALCOOL
2,6 g/l et 14,5 %

CODE SAQ
11095949

ACCORDS
Un hachis Parmentier (un pâté chinois, en
bon québécois !) de bœuf ou de saucisses
de gros gibiers à poil. Vous pourriez y
ajouter un ou deux traits de votre meilleure
recette de ketchup aux betteraves pour
maximiser la symbiose.

3 760038 251214

VIRIL ET BRONZÉ GAILLARD!

On parle souvent de la popularité sans cesse grandissante de cette variété de raisin qu'est la syrah. Ce cépage fait la pluie et le beau temps, et ce, surtout chez les jeunes consommateurs (jeune, pour moi, c'est avoir de 18 à 50 ans!). On aime le shiraz (la fameuse syrah) au Québec! S'il y a une autre «sorte de raisin» qui a séduit de nombreux disciples en province, c'est bien le grenache. Il est parfois en solo (en mode monocépage), mais la plupart du temps assemblé à la syrah, au mourvèdre, au carignan, au cinsault et compagnie... Surtout dans le sud de la France. Ce Domaine La Montagnette est justement un assemblage de ces cépages dits méditerranéens.

Il était déjà impeccable depuis plusieurs récoltes consécutives, mais le 2015 déculotte tous les vins de ce producteur que j'ai goûtés à ce jour! On sent la mûre, le cassis, le bleuet... Le gustatif est généreux, passablement étoffé, de bonne richesse et abondant. Aucun élevage en fût de chêne n'a été fait, c'est le fruit «qui parle», un point c'est tout! Si vous avez la patience de l'oublier quelques mois dans l'noir, il sera encore plus bavard et expressif sous tous ses angles. Un viril et bien «bronzé» gaillard du Rhône méridional, qui pourrait candidement faire un clin d'œil à bien des fioles coûtant 20-22 $.

ROUGE

DANS LA MÊME LIGNÉE :
La Vendimia
Palacios Remondo 2015
CODE SAQ : 10360317
PRIX : 18,95 $

La Capitana
Viña La Rosa
2013

18,²⁵ $

ORIGINE
Vallée de Cachapoal – Vallée Centrale –
Chili

CÉPAGES
Cabernet sauvignon, merlot

À SERVIR À
16 °C

CARAFE
–

À BOIRE AVANT
2019–2020

SUCRE ET ALCOOL
1,8 g/l et 14,1 %

CODE SAQ
10327963

ACCORDS
Un ragoût épicé de style chili con carne lui
serait en bonne harmonie. Vous pourriez
également le jumeler avec de nombreuses
viandes sur le gril.

0 605913 012494

UN PROFIL MODERNE AUX SAVEURS INTENSES.

Parmi les plus magnifiques paysages viticoles que j'ai eu le plaisir d'observer à ce jour, il faut citer le Douro, dans le nord du Portugal, la Tasmanie, une île au sud de l'Australie, le Priorat, sur la côte est de l'Espagne, l'île du Sud de la Nouvelle-Zélande, mais aussi la vallée de Cachapoal, au sud de Santiago, au Chili. De splendides montagnes, des palmiers autochtones millénaires, des lamas sauvages, une végétation luxuriante... Mis à part mon amoureuse et mes deux jeunes fistons, la vallée de Cachapoal est la plus belle «chose» que j'aie vue de ma vie. C'est à couper le souffle! Le vignoble de Viña La Rosa possède de nombreuses parcelles de vignes dans ce spectaculaire paysage. Une zone viticole où cabernet sauvignon, carmenère et merlot se plaisent à merveille.

Ce rouge chilien n'est pas trop fougueux ou ambitieux comme certains de ses «collègues» du même pays... Donc, pas de 15-16% d'alcool, pas de sucre, pas de surconcentration, pas d'exubérantes notes de vanille et de noix de coco apportées par un élevage en fût neuf ou par une «macération» de copeaux de bois. Il sent le poivron rôti, la confiture et les baies de raisin qui mûrissent sous le chaud soleil sud-américain. C'est quand même un produit au profil moderne ayant des saveurs intenses et affirmées.

ROUGE

DANS LA MÊME LIGNÉE:
Cabernet Sauvignon
Cousiño-Macul 2014
CODE SAQ: 00212993
PRIX: 18,55$

0 089046 666630

157

Grand Terroir Gérard Bertrand 2013

18,⁵⁵ $

ORIGINE
Côtes du Roussillon Villages Tautavel –
Languedoc–Roussillon – France

CÉPAGES
Grenache, carignan, syrah

À SERVIR À
16 °C

CARAFE
-

À BOIRE AVANT
2020

SUCRE ET ALCOOL
4 g/l et 15 %

CODE SAQ
11676145

ACCORDS
Allez-y avec un plat «cochon» et copieux,
comme un ragoût de sanglier bien garni de
légumes-racines ou bien un osso buco
de chevreuil ou d'orignal avec de grosses
morilles. Miam!

GOÛTEUX, CHARNU, GÉNÉREUX ET UN BRIN ÉPICÉ.

Êtes-vous du genre à éviter les rouges peu tanniques, axés sur la souplesse, délicats et tout en dentelle? Le pinot noir et le gamay sont à cent lieues d'être votre cépage chouchou, car vous les trouvez trop «légers» en bouche? Dites-vous que vous n'êtes pas le seul et que personne ne devrait vous juger sous prétexte que vous souhaitez boire des vins plus riches et concentrés! Sans tomber dans la surextraction ou le côté hyperboisé d'un cru qui frôle «l'infusion de deux par quatre», il y a moyen de trouver un entre-deux. Un vin au fruité généreux, ayant une bonne assise tannique, mais qu'on déguste sans se faire «paralyser» les papilles par un colosse fortement ambitieux et gonflé au botox, inutilement maquillé de sucre résiduel et de copeaux de bois… Voici donc un rouge du sud de la France alliant musculature, structure et gourmandise, mais ayant une bonne dose de «buvabilité» sous le bouchon!

Ne vous effrayez pas de ses 15% d'alcool, car ce vin a la colonne vertébrale et une matière suffisante pour ne pas devenir massif et trop capiteux. L'assemblage est dominé par du grenache à 50%, puis le tout est complété par du carignan et de la syrah. Il en résulte un rouge goûteux, charnu, généreux et un brin épicé. Vous en aurez plein les papilles avec ce gaillard méditerranéen de bon goût!

ROUGE

DANS LA MÊME LIGNÉE :
La Croix d'Aline
Les Domaines Auriol 2014
CODE SAQ : 00896308
PRIX : 18,45$

Terrasses Château Pesquié 2014

18,⁶⁰ $

TOP VIN

ORIGINE
Ventoux – Rhône – France

CÉPAGES
Grenache, syrah

À SERVIR À
15–16 °C

CARAFE
-

À BOIRE AVANT
2019–2020

SUCRE ET ALCOOL
2,6 g/l et 14 %

CODE SAQ
10255939

ACCORDS
En sa présence, une simple assiette steak-frites n'aura jamais eu si bon goût ! Ne négligez pas d'y ajouter la poêlée de champignons sautés au beurre, le poivre moulu et la sauce brune un brin truffée.

3 760149 591032

GOURMANDISE, ÉNERGIE ET ÉCLAT.

Le «pape du vin», Robert Parker, a qualifié cette cuvée Les Terrasses du millésime 2014 de «*always a terrific value*». Le célèbre critique américain est fou des vins rhodaniens et plus spécialement de ceux du réputé terroir de Châteauneuf-du-Pape. Il a dit du Château Pesquié que c'est tout simplement le meilleur producteur de tout le Ventoux (qui est une zone viticole immense, soit dit en passant !). Aucune cuvée, tous millésimes confondus de ce domaine du Rhône Sud, ne m'a laissé sur ma soif à ce jour. Ils font des vins savoureux, gourmands, précis, qui possèdent toujours de généreuses masses de fruit. S'cusez mon anglais, mais «*Pesquié rocks*» en ciboulot !

Dès l'ouverture de la bouteille, vous vous apercevrez que le vin est engageant et loin d'être timide à l'olfactif. Fruité, épicé, floral… La bouche allie gourmandise, énergie et éclat. Un rouge qui se boit aisément et qui est à cent lieues des nombreux pinards technologiques sans âme, sucrés et infusés de copeaux de bois, que l'on trouve sur notre marché. Si vous sortez 6-7 $ de plus, vous pourrez mettre la main sur la cuvée Quintessence, à 25 $, qui est en quelque sorte la sœur aînée de cette cuvée Terrasses.

DANS LA MÊME LIGNÉE :
Cuvée Amarante
Château Rouquette sur Mer
CODE SAQ : 00713263
PRIX : 20,00 $

3 438190 004015

Terre di Giumara Caruso & Minini 2014

18,⁶⁰ $

ORIGINE
Sicile – Italie

CÉPAGE
Frappato

À SERVIR À
15–16 °C

CARAFE
20–30 minutes

À BOIRE AVANT
2018–2019

SUCRE ET ALCOOL
5,2 g/l et 14 %

CODE SAQ
11793173

ACCORDS
Créez une agréable symbiose régionale en jumelant ce coloré rouge italien avec une assiette de charcuteries, une pizza à croûte mince ou des pastas siciliennes.

CHARMANTS ARÔMES DE FRUITS DES CHAMPS.

S'il vous arrive d'effectuer des dégustations à l'anonymat (sans connaître l'identité du vin qu'on a versé dans votre verre) entre amis et que vous désirez donner un peu de fil à retordre aux dégustateurs, voici des suggestions pour vous. En blanc, vous pourriez miser sur un furmint hongrois, un vidal estrien, un grüner veltliner autrichien ou un verdicchio italien. Pour ce qui est des rouges, je vous propose de mettre la main sur un graciano espagnol, une bonarda argentine, un touriga nacional portugais, un baco noir ontarien, ou sur ce frappato fait en Sicile, dans le sud de l'Italie. Ça prendra un nez quasi bionique comme celui de Véro Rivest, de François Chartier ou de Ghislain Caron pour faire mouche et identifier le cépage et la provenance exacte du produit.

La coloration rouge cerise de ce frappato est profonde et opaque. Même si je vous conseille de le dégourdir quelque peu en carafe, le vin est malgré tout assez expressif dès l'ouverture de la bouteille. On y sent de charmants arômes de fruits des champs, de sirop de grenadine et de crayon-feutre. Ce vin est peut-être issu d'un climat insulaire chaud et vachement ensoleillé, mais il reste frais et digeste en bouche. La matière tannique est précise, rien n'est lourd ou encombrant en dégustation. Faites-vous plaisir et déstabilisez vos papilles et celles de vos convives en tirant le bouchon de cet original et éclectique vin fait exclusivement de frappato !

ROUGE

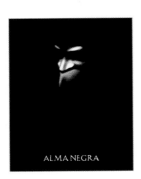

DANS LA MÊME LIGNÉE :
Alma Negra
A. Bartholomaus & E. Catena 2013
CODE SAQ : 11156895
PRIX : 20,60 $

Zolo Fincas Patagónicas 2014

18,⁶⁰ $

ORIGINE
Mendoza – Argentine

CÉPAGE
Cabernet sauvignon

À SERVIR À
15–16 °C

CARAFE
-

À BOIRE AVANT
2018–2019

SUCRE ET ALCOOL
2,9 g/l et 14,2 %

CODE SAQ
11373232

ACCORDS
Les carnivores le serviront en parallèle à une belle côte de bœuf saignante au jus de vin rouge et sa vitaminée salade de légumineuses.

7 798116 200621

MÛR ET BIEN GOÛTEUX.

Mis à part le merlot, s'il y a un cépage rouge qui est connu aux quatre coins de la planète vin, c'est bien l'international cabernet sauvignon. On aime sa structure, sa puissance, ses habituelles saveurs affirmées et ses parfums fort invitants. Même si ce dernier est souvent assemblé avec le merlot et le cabernet franc, il peut aussi donner de formidables résultats en solo. Par contre, si vous ne jurez que par la finesse, la dentelle et la délicatesse, et si vous ne buvez que des vins souples et peu tanniques, les *king cabs* d'Amérique du Nord ou du Sud, comme celui-ci, ne seront probablement pas votre tasse de… vin !

Le chaud, généreux et abondant soleil argentin a permis aux grappes de raisin, qui sont à la base de ce vin, d'atteindre une pleine maturité. Sa couleur violacée est profonde et opaque. Le vin est mûr, bien goûteux, et une matière ample et passablement corsée est présente. Ici, rien de trop alcoolisé ni de trop boisé ou d'inutilement sucré. Ne le servez surtout pas aux 21-22 °C de votre domicile. Visez plutôt 15-16 °C et vous le mettrez en valeur.

ROUGE

DANS LA MÊME LIGNÉE :
Cabernet Sauvignon
Bodegas Catena Zapata 2014
CODE SAQ : 00865287
PRIX : 22,30 $

7 794450 002570

Bronzinelle Château Saint-Martin de la Garrigue 2013

19,²⁰ $

ORIGINE
Coteaux du Languedoc – Languedoc-Roussillon - France

CÉPAGES
Syrah, carignan, grenache, mourvèdre

À SERVIR À
15–16 °C

CARAFE
–

À BOIRE AVANT
2018–2019

SUCRE ET ALCOOL
2,8 g/l et 13 %

CODE SAQ
10268588

ACCORDS
Un bifteck poêlé au beurre ou un beau gros T-bone accompagné de quelques asperges, de haricots et de pommes de terre rattes feraient un *hit* en duo avec cet assemblage du sud de la France.

ARÔMES DE BONBONS, D'ÉPICES ET DE VIOLETTES.

Vous êtes nombreux à m'adresser des courriels. Parmi tous les messages que je reçois, celui qui revient le plus souvent, c'est : «Philippe, aurais-tu une bonne suggestion de vin rouge à 20 $? » Il y a des centaines de rouges dans cette fourchette de prix sur nos tablettes et vous vous sentez peut-être un peu menotté devant un choix si vaste, et c'est tout à fait normal. Mathieu et moi avons goûté, analysé et décortiqué plus de 1 500 vins rouges au cours de la dernière année, et, sans avoir un nez bionique ou la science organoleptique infuse, nous pouvons nous péter les bretelles en nous disant que nous pouvons vous dénicher de bons *deals vino* ! Voici donc, pour vous, précieux et «assoiffés» consommateurs de vin, un «môzusse» de bon rouge à… moins de 20 piastres !

Nul besoin d'aérer ce vigoureux et fringant gaillard languedocien une ou deux heures en carafe pour le rendre plus expressif, car le vin est ouvert et bien engageant dès l'ouverture de la bouteille. Ses invitants et séduisants arômes de bonbons, d'épices et de fleurs mauves, telle la violette, feront plier les genoux à plus d'un. Le fruité est précis, généreux et sans lourdeur au gustatif. Si vous avez la patience de l'allonger au moins 10-12 mois, ça calmera sa fougueuse jeunesse et il se dégustera encore mieux.

ROUGE

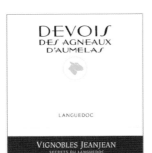

DANS LA MÊME LIGNÉE :
Devois des Agneaux d'Aumelas
Jeanjean 2012
CODE SAQ : 00912311
PRIX : 20,95 $

3 186127 769819

Château Les Bouysses 2011

19,⁵⁵ $

ORIGINE
Cahors – Sud-Ouest – France

CÉPAGES
Malbec, merlot

À SERVIR À
17 °C

CARAFE
–

À BOIRE AVANT
2023–2024

SUCRE ET ALCOOL
1,8 g/l et 12,5 %

CODE SAQ
00972489

ACCORDS
Le «vrai» cassoulet de Toulouse aux cuisses de canard confites s'unira à merveille avec ce goûteux et coloré rouge de Cahors.

3 242160 381170

AGRÉABLE ET IMPECCABLE!

J'ai suivi mon cours de sommellerie à l'ITHQ, il y a une quinzaine d'années. Mon ambition en matière d'achat de vin était assez intense, mais mon compte bancaire ne suivait pas du tout, j'étais pauvre comme la gale… Je m'amusais alors à allonger des bouteilles à petit prix dans le fond de la garde-robe de mon appart du Plateau-Mont-Royal. Des vins rouges du Sud-Ouest et de la péninsule ibérique, issus d'appellations peu connues, qui coûtaient moins de 14-15 $, étaient sur ma liste d'essais de «vieillissement». Parmi cette vingtaine de fioles, il y avait un cahors du Château Les Bouysses du millésime 1997. Cette cuvée m'avait coûté moins de 15 $ à l'époque. Au printemps 2016, nous avons tiré le bouchon de cette quille de 19 ans d'âge en direct à la télévision. Le vin n'était pas tout feu tout flamme, mais il était encore pas mal plus que juste «buvable». Si vous en avez la patience, vous pouvez faire la même chose avec certains rouges du Madiran ou même avec des blancs jurassiens faits de chardonnay ou de savagnin.

Ce cahors de 5 ans est encore tout jeune. Son style quelque peu bordelais est tout à fait charmant. À l'instar de nombreux rouges argentins faits de malbec, ce vin libère d'aguichantes notes de réglisse, de crayon-feutre et de bleuet. Son «sage et discret» 12,5 % d'alcool et le haut pourcentage de merlot dans l'assemblage rendent le vin accessible, facile, pas trop tannique ni trop capiteux, agréable et impeccable à 20 douilles !

ROUGE

DANS LA MÊME LIGNÉE :
Tour Bouscassé
Alain Brumont 2010
CODE SAQ : 12284303
PRIX : 19,35 $

Duas Quintas Ramos Pinto 2013

19,⁷⁰ $

ORIGINE
Douro – Portugal

CÉPAGES
Touriga nacional, touriga franca, barca, tinta roriz

À SERVIR À
16 °C

CARAFE
–

À BOIRE AVANT
2020-2021

SUCRE ET ALCOOL
2,2 g/l et 13,5 %

CODE SAQ
10237458

ACCORDS
Un magret de canard saignant et sa purée de légumes-racines mouillée d'une sauce au porto et aux figues lui conviendront très bien.

5 601332 007313

NOTES DE RAISINS SECS, DE BAIES DE SUREAU, DE SIROP DE CASSIS.

Ces 20 dernières années, le collègue François Chartier a souvent louangé la qualité des vins de ce magnifique pays qu'est le Portugal. Avec son «pif» quasi bionique et son expérience de dégustateur qui voyait passer pas moins de 3 000 produits par année dans son verre à dégustation, il a vu juste : le terroir portugais est apte à nous offrir des crus merveilleux ! Donc, si vous désirez goûter des vins issus de cépages et d'appellations méconnus, mettez quelques fioles de ce pays de la péninsule ibérique dans votre panier, à la SAQ, dans les prochaines semaines. Le rouge du Douro que je salue ici est d'ailleurs une excellente façon de faire ses premiers pas vers une quille du Portugal.

Sa couleur violacée, dense et profonde, nous laisse croire à un produit alliant richesse et concentration. Comme il est élaboré dans la même région que le porto, par un producteur de porto et avec les mêmes cépages que le porto, ben il sent quelque peu le… porto ! Notes de raisins secs, de baies de sureau, de sirop de cassis, d'alcool à pharmacie… Il est jeune et assez fougueux, donc je vous propose de l'oublier quelques mois en cave avant de lui tirer le bouchon. Il se dégustera mieux après une petite sieste à l'horizontale.

ROUGE

DANS LA MÊME LIGNÉE :
Churchill's Estates
Churchill Graham 2012
CODE SAQ : 12362931
PRIX : 20,05 $

5 603541 752596

Impatience Château du Grand Caumont 2015

19,⁸⁰ $

ORIGINE
Corbières – Languedoc-Roussillon – France

CÉPAGES
Carignan, syrah, grenache

À SERVIR À
16 °C

CARAFE
-

À BOIRE AVANT
2022-2023

SUCRE ET ALCOOL
2,5 g/l et 13 %

CODE SAQ
00978189

ACCORDS
Vous ferez une belle symbiose en le servant sur un riz en sauce provençale. Tomates, olives, oignons, poivrons, persil, basilic, ail… Les gros carnivores pourraient ajouter quelques saucisses merguez à cette recette.

UNE CUVÉE GOURMANDE
ET DÉBORDANTE DE FRUITÉ.

Au-delà de la bouteille, de son appellation, de son millésime, de son ou de ses cépages, ce qui me fascine, dans le vin, c'est l'homme ou la femme derrière la bouteille, l'histoire et les anecdotes qui l'entourent. Chaque flacon a son histoire et c'est en quelque sorte mon boulot de fouiller pour vous la raconter dans ce livre ou dans mes chroniques. Laurence Rigal, qui signe cet assemblage languedocien, a perdu sa maman, Françoise, en juin 2012. Cette dame avait, selon les dires de sa fille, un «solide caractère», et n'avait pas non plus la langue dans sa poche. En son honneur, les dirigeants du Château du Grand Caumont ont baptisé «Impatience» cette cuvée gourmande, joufflue et débordante de fruité. Une digne consécration pour Françoise, car le vin est diablement bon!

Le 2011 s'était fièrement hissé dans le Top Vin du *Lapeyrie 2015*. Par contre, les deux millésimes suivants m'ont paru moins éclatants, moins parfumés et moins réussis. Nous avons goûté en primeur ce 2015 au printemps 2016, et eurêka! le produit a retrouvé sa grâce, sa précision et sa gourmandise! Oui, la longue et allongée bouteille noire a de la gueule, mais c'est le «jus» qu'il y a dedans qui compte, et il est SAVOUREUX cette année! Nez ouvert, expressif, envoûtant… Une belle concentration et une certaine richesse sont au rendez-vous; tanin, fraîcheur, flaveurs méridionales… J'aime!

ROUGE

DANS LA MÊME LIGNÉE:
Les Cranilles
Les Vins de Vienne 2014
CODE SAQ: 00722991
PRIX: 21,30$

3 760098 130375

Marie-Gabrielle Cazes 2015

19,⁹⁰ $

ORIGINE
Côtes du Roussillon – Languedoc-Roussillon – France

CÉPAGES
Syrah, grenache, mourvèdre

À SERVIR À
16 °C

CARAFE
–

À BOIRE AVANT
2021-2022

SUCRE ET ALCOOL
1,6 g/l et 13,5 %

CODE SAQ
00851600

ACCORDS
Ce rouge du Languedoc pourra autant faire rigoler les copains autour du barbecue, avec des viandes grillées, que nous « réchauffer l'âme » pendant les glacials mois de janvier et février, avec des plats réconfortants de longue cuisson.

3 248840 303098

PLUS GOÛTEUX QUE JAMAIS !

Le domaine Cazes serait la plus vaste exploitation viticole française œuvrant en biodynamie. Pas moins de 220 hectares de vignes y jouissent d'un respectueux traitement. Travaillées de cette façon, ces vignes auront un système immunitaire beaucoup plus résistant que celles qu'on asperge de traitements chimiques plusieurs fois par mois. En biodynamie, on pratique plutôt le compostage au maximum, on observe le calendrier lunaire pour toutes les interventions, autant au chai qu'aux champs, on fait du labourage de temps à autre pour faire respirer le sol et dynamiser la vie microbienne. Il y aura de la vie au «sous-sol», ça bougera, il y aura des bibittes, des vers de terre… Ça rendra le sol plus vivant. Tout ça pour vous dire que, habituellement, la plupart des vignerons qui pratiquent la biodynamie ont 5, 10, voire 20 hectares de pieds de vignes, et non pas 220 comme Cazes ! C'est pas mal plus cher pour le producteur de travailler de cette façon, mais ça donne des vins avec de l'éclat, du goût, des saveurs gourmandes et de la… vie !

Ce nouveau 2015 (un superbe millésime pas mal partout dans l'Hexagone !) a dû faire quelques mois de cardio et de poids et altères au gym, car il est nettement plus en forme que dans les 2-3 derniers millésimes. Il est *top shape* et plus goûteux que jamais ! Si vous le connaissiez déjà, vous vous apercevrez rapidement que le produit a quelque peu changé de style. Plus joufflu, plus racoleur, plus gourmand, plus primaire, plus persistant… «plusssss meilleur», ciboulot ! C'est méridional et ça se boit à merveille dès maintenant ou dans les 5-6 prochaines années. Pas besoin de s'appeler Jojo-Médium ni d'avoir une boule de cristal pour voir que ce vin est une solide aubaine à quelques sous de moins de 20 $!

ROUGE

DANS LA MÊME LIGNÉE :
Les Plots Château Coupe Roses 2014
CODE SAQ : 00914275
PRIX : 21,45 $

3 496650 000052

175

Clos des Mûres Château Paul Mas 2014

19,⁹⁵ $

ORIGINE
Coteaux du Languedoc – Languedoc-Roussillon – France

CÉPAGES
Syrah, grenache

À SERVIR À
16 °C

CARAFE
–

À BOIRE AVANT
2020–2021

SUCRE ET ALCOOL
1,5 g/l et 14 %

CODE SAQ
00913186

ACCORDS
Si vous n'êtes pas un chasseur, c'est le temps de faire les yeux doux à un ami qui a du cerf ou de l'orignal dans son congélo… Une fondue de gros gibiers à poil, deux ou trois bouteilles de ce rouge du Languedoc, une tablée de cinq ou six bons vivants, et le tour est joué !

3 760040 420394

ENVOÛTANT, INTENSE, RICHE, GÉNÉREUX.

Êtes-vous du genre à acheter une bouteille juste parce qu'elle a «de la gueule», qu'elle est lourde, qu'elle a une belle étiquette et qu'elle est bien décorée d'un paquet de médailles? Ne vous sentez pas seul, car, non, vous ne l'êtes point! Certaines SAQ Sélection peuvent avoir plus de 2 200 vins différents. Devant une sélection si vaste, le commun des mortels peut se sentir quelque peu menotté, et souvent son choix s'arrête sur une bouteille «tape-à-l'œil», car il est pressé et n'y connaît pas grand-chose. Une belle quille au super look n'est vraiment pas un gage de qualité. L'appellation, le millésime, le ou les cépages non plus. Le plus important, selon moi, c'est la personne qui signe la bouteille. Pourquoi je vous raconte tout ça? Parce que la bouteille que je salue ici est belle, bonne, et ne pèse pas une tonne, mais presque!

La très réussie version 2013 de ce même produit de Paul Mas avait figuré dans le Top Vin de l'an dernier. Ce 2014 le suit très bien, car le vin est toujours aussi envoûtant, plein, nourri, intense, riche, généreux, bien fourni et de bonne ossature. Un haut pourcentage de syrah est présent dans l'assemblage et le tout est complété par «quelques grappes» (15 %) de grenache. Il porte d'ailleurs très bien son nom (Clos des Mûres), car il sent les mûres à pleines narines! Une grosse quille lourde et pleine de «bon jus», apte à faire une sieste d'encore 4-5 ans dans la noirceur de votre réserve.

ROUGE

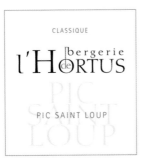

DANS LA MÊME LIGNÉE :
Bergerie de l'Hortus Classique
Domaine de l'Hortus 2014
CODE SAQ : 00427518
PRIX : 21,70 $

Old Bush Vine Yalumba 2014

19,⁹⁵ $

ORIGINE
Barossa – Australie

CÉPAGE
Grenache

À SERVIR À
15–16 °C

CARAFE
-

À BOIRE AVANT
2019–2020

SUCRE ET ALCOOL
2,3 g/l et 13 %

CODE SAQ
00902353

ACCORDS
Un tajine de veau ou de bœuf aux légumes bien garni d'olives noires, de coriandre, de persil, de paprika… Les épices sont généralement en bonne liaison avec la fraîcheur présente dans les vins rouges faits de grenache.

Au Festival des vins de Saguenay avec les organisateurs et le maire de Saguenay, Jean Tremblay.

ÇA SENT BON, ÇA GOÛTE BON!

Si, tout comme moi, vous n'êtes pas le plus grand admirateur des vins de cette île géante qu'est l'Australie, prenez la résolution de goûter à celui-ci dans les prochains jours! Disons qu'il laisse bien loin derrière lui de nombreux «vins-recettes» de ce pays, souvent sucrés, maquillés, boisés... et vinifiés pour un public ciblé. La maison Yalumba fut fondée en 1849 et elle revendique le statut de plus vieux domaine familial producteur de vin en Australie. Ses vignes sont principalement plantées dans les régions d'Eden Valley et de Barossa Valley. Même si elle travaille avec près d'une vingtaine de cépages, c'est avec les cuvées faites de variétés rhodaniennes (syrah, grenache, viognier...) qu'elle s'est fait connaître au Québec. Le rouge que je vous recommande dans ce texte est issu de vignes de grenache plantées entre 1898 et 1973. C'est trippant en ciboulot de savoir qu'il y a quelques millilitres de liquide dans cette bouteille qui ont été pressés avec des raisins provenant de ceps ayant l'âge vénérable de presque 120 ans... Wow!

Comme la plupart des vins faits exclusivement de grenache, sa coloration est pâle et peu profonde. On dénote des arômes de fruits à noyau et d'alcool à pharmacie. Les notes d'élevage en barrique sont discrètes. C'est peu tannique, juteux, et l'agréable fraîcheur gustative n'est pas sans rappeler certains pinots noirs de climat frais. Ça sent bon, ça goûte bon et ça se boit comme une tisane tiède!

ROUGE

DANS LA MÊME LIGNÉE:
Giné Giné
Buil et Giné 2013
CODE SAQ: 11337910
PRIX: 22,15$

San Felice 2013

19,⁹⁵ $

ORIGINE
Chianti Classico – Toscane – Italie

CÉPAGES
Sangiovese, colorino, pugnitello

À SERVIR À
17 °C

CARAFE
-

À BOIRE AVANT
2020

SUCRE ET ALCOOL
2,1 g/l et 13 %

CODE SAQ
00245241

ACCORDS
C'est plutôt un vin pour les tête-à-tête amoureux que pour quatre ou cinq sportifs de salon assis devant le plasma. Je vous propose donc de l'escorter de créations culinaires quelque peu romantiques. Un osso buco, de l'agneau, du canard, une fondue chinoise ou une raclette? Toutes ces réponses sont bonnes!

UN PLUS QUE RÉUSSI CHIANTI !

Dans les pages de mes six bouquins, vous trouverez des dizaines de bons vins de ce magnifique pays dont je suis profondément amoureux. Je suis fou de l'Italie et je l'assume totalement ! Pour la beauté des lieux, la gastronomie, le charme de l'accent des belles dames, pour les monuments historiques, la fierté et l'hospitalité des Italiens, et, bien sûr, pour la «personnalité attachante» de beaucoup, beaucoup de vins issus de ce merveilleux pays. Une semaine en amoureux à musarder dans une petite Fiat 500 à travers les pittoresques collines de la Toscane fera de vous un héros (euh, pardon, un Roméo !) aux yeux de votre tendre moitié. La Toscane est la région du bon vivre, où le soleil brille à profusion et où la relaxation est reine. Disons que c'est un endroit qui vous remet les valeurs de vie à la bonne place ! Et si vous ne pouvez pas voyager si loin, faites venir la Toscane à vous en mettant la main sur ce plus que réussi chianti, pour même pas 20 $!

Le millésime 2013 ne passera pas à l'histoire dans cette zone viticole (ni dans de nombreux autres terroirs européens), mais c'est bien comme ça, car le vin se déguste à merveille dès maintenant. Il offre des effluves de tabac à pipe, de figue bien mûre, de cassonade, de tomate séchée et d'humidor (réserve à cigares). La bouche est facile, coulante, pas trop tannique, mais pas dépourvue de goût pour autant. Les fins dégustateurs ne seront pas trop déroutés, car ce produit est fort représentatif du cépage et de sa région de production. À ce prix, on l'achète en cartons de six, les amis !

ROUGE

DANS LA MÊME LIGNÉE :
**Chianti Classico Carpineto
2013**
CODE SAQ : 00478891
PRIX : 21,90 $

8 003015 700363

Montecorna Ripasso Remo Farina 2013

20,00 $

ORIGINE
Valpolicella Classico Superiore – Vénétie – Italie

CÉPAGES
Rondinella, molinara, corvina

À SERVIR À
16 °C

CARAFE
Au moins 30 minutes

À BOIRE AVANT
2022-2023

SUCRE ET ALCOOL
9,6 g/l et 14 %

CODE SAQ
00908269

ACCORDS
Ce romantique et envoûtant rouge du pays de Roméo et Juliette peut aussi bien jouer la carte de la séduction en tête-à-tête qu'avoir une allure plus sociable et faire rigoler la famille et les copains autour d'une bouillonnante fondue de bœuf, cerf, autruche et veau...

0 745163 232102

NEZ DE CASSONADE GRILLÉE, DE RAISINS RÔTIS ET DE FIGUES MÛRES.

À mon avis, ce rouge vénitien fait partie des «premiers de classe» parmi les 25-30 vins issus de la méthode ripasso à la SAQ. Cette façon de faire consiste à refermenter des jeunes vins rouges du Valpolicella sur des marcs ou des raisins partiellement séchés. On refait une fermentation, donc on «repasse», d'où le mot *ripasso* qui signifie «repasser». Cette méthode apporte structure, complexité et profondeur au vin. Cela dit, ne vous faites pas rouler en achetant ce genre de vin italien au hasard, car, là comme ailleurs, il y a du bon et du moins bon! Dirigez-vous vers des producteurs sérieux et soucieux de la qualité de leurs vins. Mettez la main sur les cuvées de Gerardo Cesari, Masi, Zenato, Tedeschi, Tommasi, Nicolis, Remo Farina… Un peu comme leur frangin aîné, l'amarone, ce type de rouge a besoin d'une bonne aération pour bien s'exprimer. En bon québécois, «donnez-lui un coup d'air et il vous le rendra bien»!

Sous le millésime 2013, ce Montecorna, encore une fois cette année, est fort étonnant pour son rang. Son nez de sucre brun grillé (cassonade qui se fait «bronzer» à la torche sur une crème brûlée), de raisins rôtis et de figues mûres nous invite à la dégustation. Une fois le vin en bouche, on goûte, on ferme les yeux et on se gratte la tête en se demandant comment un rouge de seulement 20 douilles peu procurer tant de plaisir! Mais ne vous cassez pas le coco et profitez pleinement et simplement de ce goûteux, persistant et fort satisfaisant gaillard italien! Disons qu'il rendra quelques bons vivants bien de bonne humeur assez rapidement autour d'une fondue chinoise, un samedi soir… Un bien brillant choix de bouteille à acheter par carton. À mon avis, il est supérieur à certains amarones qui coûtent deux fois plus cher!

DANS LA MÊME LIGNÉE:
Capitel San Rocco Ripasso
Tedeschi 2013
CODE SAQ: 00972216
PRIX: 22,50$

183

Chartier Créateur d'Harmonies Sélection Chartier 2013

20,⁰⁵ $

ORIGINE
Ribera del Duero – Castille-et-León - Espagne

CÉPAGE
Tempranillo

À SERVIR À
16 °C

CARAFE
30 minutes

À BOIRE AVANT
2019-2020

SUCRE ET ALCOOL
1,9 g/l et 14,5 %

CODE SAQ
12246622

ACCORDS
Jumelez-le avec un tournedos ou un pavé de bœuf et son jus de viande. Maximisez le mariage mets-vin avec cette bouteille de la Castille-et-León en mettant votre pièce de viande en parallèle avec une mousseline de pommes de terre bien crémeuse, mouillée de quelques gouttes d'huile de truffe.

8 014299 000056

LA PURETÉ DU FRUIT ET LA GOURMANDISE SONT AU RENDEZ-VOUS.

Le sommelier François Chartier élabore des vins en partenariat avec des vignerons de premier plan à Bordeaux, dans le Rhône, dans le Languedoc, en Toscane, mais également dans certaines appellations espagnoles. J'ai eu la chance de goûter la gamme entière et je peux vous affirmer que rien ne cloche dans ces cuvées. L'expert en vin québécois est bien connu aux quatre coins de la planète vin et ses produits sont à la hauteur de sa réputation. Est-ce de «grands vins»? Pas vraiment, non! Par contre, ils reflètent vachement bien leur région de production et leur cépage respectif. Comme François a œuvré une partie de sa carrière comme sommelier dans une salle à manger, il nous livre des vins qui passent très bien à table. Des vins frais, goûteux, digestes, et à cent lieues de manquer de punch et de personnalité.

Ce Ribeira del Duero (rive du Duero) est exclusivement fait de l'ibérique cépage tempranillo. Les vignes qui sont à la base de ce vin ont une soixantaine d'années en moyenne. À la suite d'une fermentation alcoolique qui s'est faite entièrement avec des levures indigènes, le vin a séjourné une dizaine de mois en barriques française et américaine. La coloration foncée et violacée du produit le rend fort invitant à la dégustation. En bouche, la fraîcheur, la pureté du fruit et la gourmandise sont au rendez-vous. Pour 20$, je n'ai rien à redire!

ROUGE

DANS LA MÊME LIGNÉE:
Rioja Reserva
Bodegas Campillo 2010
CODE SAQ: 00898809
PRIX: 21,95$

Château Cailleteau Bergeron 2012

20,⁰⁵ **$**

ORIGINE
Blaye Côtes de Bordeaux – Bordeaux – France

CÉPAGES
Merlot, cabernet sauvignon, malbec

À SERVIR À
16–17 °C

CARAFE
-

À BOIRE AVANT
2018–2019

SUCRE ET ALCOOL
4,1 g/l et 14 %

CODE SAQ
00919373

ACCORDS
Un parfumé et réconfortant gigot d'agneau, une copieuse et gourmande tourtière de petits gibiers, une simple mais ô combien festive fondue chinoise…? Oui, dans l'mille, ces plats seront parfaits en sa présence !

3 760035 962113

NICKEL, POUR LE PRIX !

J'ai le plaisir (et la grande chance !) d'être le fier porte-parole, depuis sa création, d'un fantastique événement : Bordeaux Fête le Vin à Québec. Une fête de quatre jours qui se tient dans le magnifique Vieux-Port de Québec, toutes les années impaires (prochain rendez-vous : du 31 août au 3 septembre 2017). On y accueille de 50 000 à 60 000 épicuriens curieux, gourmands, et autres amateurs de bonne chère. Suis-je donc un «vendu» qui prêche pour sa paroisse en ne buvant que du bordeaux ? Pas du tout ! Je répète fréquemment que dans cette zone, comme partout ailleurs, il y a du bon et du moins bon. De nombreux blancs et rouges bordelais sont *overrated*, et ce n'est certainement pas le «meilleur *spot*» où aller si vous désirez bien investir 15-20 $ dans une quille de vin. Le Languedoc et la péninsule ibérique battent Bordeaux à plate couture quant aux bons rapports qualité/prix. Par contre, un bordeaux d'un bon château, d'un bon millésime, dégusté au bon moment, pourra solidement vous faire dresser les poils sur les bras ! Certains vins rouges et blancs liquoreux de cette région m'ont procuré mes plus mémorables moments de dégustation à ce jour.

Non, ce flacon n'a ni l'air ni la chanson d'un Château Clinet, d'un Petrus, d'une Conseillante, d'un Ausone ou d'un Cheval Blanc, mais, à 20 $, le vin est d'une qualité irréprochable. On dénote des arômes de légumes en cuisson et de légers effluves de fût de chêne. Rien de trop tannique ni de trop robuste au gustatif. Souplesse, fraîcheur, accessibilité, bon goût… Nickel, pour le prix ! Une fois ouverte, la bouteille devra être bue dans les 10-12 heures, car le vin, qui a déjà 4-5 ans, est assez oxydatif.

ROUGE

DANS LA MÊME LIGNÉE :
Château Bujan 2013
CODE SAQ : 00862086
PRIX : 22,95 $

Petit Clos Jean-Luc Baldès 2012

20,⁰⁵ $

ORIGINE
Cahors - Sud-Ouest - France

CÉPAGES
Malbec, merlot

À SERVIR À
16-17 °C

CARAFE
20-30 minutes

À BOIRE AVANT
2020-2021

SUCRE ET ALCOOL
1,6 g/l et 14 %

CODE SAQ
10778967

ACCORDS
Une belle côte de bœuf saignante ou médium-saignante et sa «forêt complète» de champignons sauvages poêlés au beurre succomberont au charme de ce joli et juste assez musclé rouge français.

Un impressionnant chai à barriques où se fait le vieillissement des vins.

LA TOTALE !

S'il y a une appellation de l'Hexagone où l'on élabore des vins rouges qui me réconfortent, c'est bien Cahors. Ça n'a pas toujours été le cas, car il y a 10 ou 15 ans, les vins de cette zone étaient souvent austères, parfois trop massifs, et fréquemment difficiles à déguster en jeunesse. Les vignerons de la région ont su s'ajuster au marché en mettant en bouteille des vins davantage axés sur le fruit, l'éclat et la «buvabilité». Ce qui ne leur enlève pas pour autant leur aptitude au vieillissement en cave, parfois exceptionnelle. Pour en trouver un à votre goût, vous aurez l'embarras du choix, car notre monopole en propose plus d'une cinquantaine. Mes domaines chouchous à Cahors sont le Château de Haute-Serre, le Clos La Coutale, le Château Lagrezette, le Château du Cèdre, le Château de Gaudou et le Clos Triguedina.

Ce vin du Sud-Ouest n'a de «petit» que le nom de sa cuvée, Petit Clos. Comme la plupart des rouges faits uniquement ou principalement du cépage malbec, sa coloration est très profonde. On y sent des parfums de réglisse, de mine de crayon et de liqueur de cassis. Le vin est droit, franc, précis, et sans aucune lourdeur ni trace de «maquillage» technologique. La bouteille a de la gueule et le «jus» qu'elle contient est très bon, alors, disons que c'est la totale !

ROUGE

DANS LA MÊME LIGNÉE :
Le Combal
Cosse et Maisonneuve 2012
CODE SAQ : 10675001
PRIX : 21,50 $

Réserve Château de Gourgazaud 2012

20,¹⁰ $

20,¹⁰ $

ORIGINE
Minervois La-Livinière — Languedoc-Roussillon — France

CÉPAGES
Syrah, mourvèdre

À SERVIR À
16 °C

CARAFE
-

À BOIRE AVANT
2019-2020

SUCRE ET ALCOOL
1,8 g/l et 13,5 %

CODE SAQ
00972646

ACCORDS
Une assiette de grillades, style tex-mex pas trop épicé, lui conviendra très bien, mais aussi des saucisses juteuses, des côtes levées barbecue, une pièce de bœuf grillée…

RAVISSANT!

Dire que, ces dernières années, certains grands vignerons bordelais ont taquiné les propriétaires d'exploitations viticoles du Languedoc en les traitant de paysans et d'artisans ruraux! Ces derniers ne jouissent peut-être pas de la notoriété des grandes appellations de Bordeaux, de la Champagne ou de la Bourgogne, mais s'il y a une région qui a le vent dans les voiles depuis une décennie, c'est bien le Languedoc-Roussillon. On y trouve des milliers d'hectares de cépages nobles tels que la syrah et le grenache, des rapports qualité/prix exceptionnels et un climat méditerranéen hyperfavorable à la culture de la vigne. Oui, oui, c'est donc la douce revanche languedocienne! C'est un candide pied de nez à la région de Bordeaux qui a du mal à écouler ses stocks de vin et qui doit jongler avec une valse de millésimes quelque peu en dents de scie depuis 10-15 ans.

Cet assemblage fait de syrah et d'un petit pourcentage de mourvèdre est ravissant! L'élevage en fût de chêne est peut-être un peu plus marqué que dans les années précédentes, mais le vin possède l'ossature nécessaire pour se charger de cet apport de bois. On y dénote un vin plus mûr, plus nourri, plus complexe et plus profond que par le passé. Son profil méridional et ses parfums d'herbes sauvages méditerranéennes sont fort invitants à la dégustation. La cuvée d'entrée de gamme du même domaine, qui coûte 5-6$ de moins, en vaut aussi la peine.

ROUGE

DANS LA MÊME LIGNÉE:
**Tradition Domaine
La Madura**
2013
CODE SAQ: 10682615
PRIX: 20,75$

Les Sorcières Clos des Fées 2014

20,³⁰ $

ORIGINE
Côtes du Roussillon – Languedoc–Roussillon – France

CÉPAGES
Syrah, grenache, carignan, mourvèdre

À SERVIR À
16 °C

CARAFE
-

À BOIRE AVANT
2019–2020

SUCRE ET ALCOOL
2,2 g/l et 14 %

CODE SAQ
11016016

ACCORDS
Un ragoût de gibiers (lapin, faisan, sanglier) à la mijoteuse, bien garni de tomates, d'olives noires, de légumes-racines et d'épices provençales.

DU BEAU JUS, PULPEUX ET GOULEYANT !

Pas moins de 80 % des vins mutés de France sont faits dans le Roussillon. Les appellations Banyuls, Rivesaltes, Maury et compagnie sont en quelque sorte les « petites cousines germaines » du porto, dans le Portugal septentrional. À l'instar du porto, ces vins roussillonnais sont mutés à l'alcool pendant leur fermentation. Cette opération met fin à la fermentation alcoolique en tuant le travail des levures. De cette façon, en fin de vinification, il restera le sucre naturel du jus de raisin dans la cuve. D'où l'expression « vin doux naturel ». Ce sont des vins généralement présentés en bouteille de 375 ml ou de 500 ml, mais aussi, parfois, en bouteille régulière de 750 ml. Ils titrent habituellement de 16 à 17 % d'alcool. J'aime bien les servir à la température du cellier (de 12 à 14 °C) parce que cela leur confère fraîcheur et digestibilité.

Ce rouge du Roussillon n'est par contre pas un vin muté. Pour consulter une sélection de ce type de vins sucrés, rendez-vous en fin d'ouvrage, dans la liste des Top 10. Vous trouverez assurément chaussure à votre… NEZ ! Tout comme l'an dernier, cet assemblage signé par Hervé Bizeul est en grande forme. Sa coloration reluisante et invitante, mais aussi les enivrants arômes de végétation sauvage (la « garrigue », comme disent les gens du vin) nous attirent à lui. La bouche est juteuse, vivante, joufflue et débordante de fruits. Pas besoin d'avoir un palais bionique pour s'apercevoir que c'est un produit vinifié avec brio. Du beau jus, pulpeux et gouleyant !

ROUGE

DANS LA MÊME LIGNÉE :
La dernière Vigne
Pierre Gaillard 2014
CODE SAQ : 10678325
PRIX : 24,25 $

3 760088 370743

Blau Cellers Can Blau 2014

20,³⁵ $

ORIGINE
Montsant – Catalogne - Espagne

CÉPAGES
Mazuelo, grenache, syrah

À SERVIR À
16–17 °C

CARAFE
-

À BOIRE AVANT
2021–2022

SUCRE ET ALCOOL
3 g/l et 14 %

CODE SAQ
11962897

ACCORDS
Ce sera le *timing* parfait pour sortir une grosse pièce de viande goûteuse et saignante, car ce gaillard catalan est de bien bonne mouture avec le cerf, le wapiti, le chevreuil ou le caribou…

Une série de bouteilles de mousseux sur pupitre.

UN VIN RICHE, GÉNÉREUX ET BIEN MUSCLÉ.

Nombreux sont les gens qui achètent une bouteille de vin en se fiant à son look. Parfois, on s'attarde peut-être un peu trop au *packaging,* mais pas assez au contenu… Il faut comprendre qu'avec ces mille et une cuvées disponibles sur notre marché, les producteurs doivent souvent user de ruse pour faire tourner le regard des acheteurs vers leurs crus. Comme vous vous en doutez probablement, ce n'est pas parce que l'emballage d'un flacon est ravissant que le jus à l'intérieur sera agréable pour autant… Or, le vin hispanique que je vous présente ici est bon en ciboulot, et, en plus, la bouteille a de la gueule, et pas à peu près ! Elle fera assurément tourner bien des têtes, car elle est tout simplement magnifique avec son étiquette violacée !

C'est un rouge issu d'une zone viticole chaude et vachement ensoleillée, et ça paraît dans le verre ! Le vin est riche, de bonne concentration, généreux et bien musclé. Ses notes torréfiées me rappellent les toasts brûlées, la cheminée froide et le café fraîchement moulu. Il combine richesse, profondeur, bon goût, saveurs intenses, masse de fruits, et ce, sans jamais tomber dans la surconcentration ni dans la lourdeur. Une belle et grosse quille remplie de «gros jus»!

ROUGE

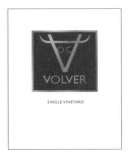

DANS LA MÊME LIGNÉE :
La Mancha Volver 2014
CODE SAQ : 11387327
PRIX : 23,65 $

Expression Alain Lorieux 2012

20,⁵⁵ $

ORIGINE
Chinon – Loire – France

CÉPAGE
Cabernet franc

À SERVIR À
15–16 °C

CARAFE
-

À BOIRE AVANT
2018–2019

SUCRE ET ALCOOL
1,8 g/l et 12,5 %

CODE SAQ
00873257

ACCORDS
Les végétariens seront heureux d'apprendre que ce rouge de la Loire fera de bien belles harmonies sur une ratatouille de légumes du jardin, une aubergine «végé» gratinée ou un vitaminé sandwich de légumes croquants.

FIN, DISCRET ET SANS MAQUILLAGE HYPERMODERNE.

On connaît bien l'international et très planté cabernet-sauvignon, mais on connaît moins son «cousin germain», le cabernet franc. Il y a de quatre à cinq fois plus d'hectares de cabernet sauvignon dans le monde que de cabernet franc. Ceux-ci sont occasionnellement jumelés au merlot pour élaborer ce qu'on appelle un «assemblage bordelais». Cela dit, le cabernet franc peut parfois donner de très beaux résultats en solo. Je pense aux nombreuses cuvées de la péninsule du Niagara, mais également à des appellations en Anjou-Saumur et en Touraine, dans la splendide vallée de la Loire : Saumur-Champigny, Chinon, Bourgueil ou Saint-Nicolas-de-Bourgueil. Si vous doutez des capacités de ce cépage à produire des crus épatants, vous devez mettre la main sur une fiole signée par de top producteurs comme Thierry Germain, Bernard Baudry, Yannick Amirault ou Alain Lorieux.

Ce vin de plus de quatre ans présente une robe assez pâle aux reflets tuilés et quelque peu orangés. Ce n'est pas le type de produit qui va vous «sauter au nez» avec des émanations *in your face* de bois neuf ou des notes confiturées. Bien au contraire, il est fin, discret et sans maquillage hypermoderne ou un peu trop «techno». Ses flaveurs mentholées, sa matière tannique passablement fondue et sa fraîcheur gustative lui confèrent une «glougloubilité» épatante. Même son de cloche pour son «sage» 12,5 % d'alcool, on aime ! Il est quelque peu évolué, alors ne le laissez pas traîner en cave plus de 2-3 ans.

ROUGE

DANS LA MÊME LIGNÉE :
**Vieilles vignes
Clos de la Briderie 2013**
CODE SAQ : 00977025
PRIX : 18,65 $

3 476980 000014

El Molar
Casa Castillo
2013

20,⁶⁰ $

ORIGINE
Jumilla – Murcie – Espagne

CÉPAGE
Grenache

À SERVIR À
15–16 °C

CARAFE
-

À BOIRE AVANT
2019–2020

SUCRE ET ALCOOL
2,1 g/l et 14,5 %

CODE SAQ
12797918

ACCORDS
Des mets réconfortants tels un civet de
sanglier, un ragoût ou une tourtière de
viandes du chasseur, ou un agneau en
croûte, lui feraient honneur.

On rigole avec la vigneronne
Nathalie Bonhomme sur la côte est de l'Espagne.

DES FRUITS ROUGES QUI ONT RÔTI
SOUS LE SOLEIL ESPAGNOL.

En septembre 2015, nous avons fait une virée sur la côte est de l'Espagne avec Mario Landry, un de nos fidèles collaborateurs. Nous avons eu le plaisir d'aller visiter, entre autres, les installations de Juan Gil et de Nathalie Bonhomme. Nous gardons un très bon souvenir de ce magnifique *trip* de vin! Soleil à revendre, très vieilles vignes de monastrell (mourvèdre) et de grenache, gastronomie épatante et accueil fort chaleureux. Les zones viticoles non loin de Valence et d'Alicante sont arides (très peu pluvieuses) et le nombre de journées d'ensoleillement est exceptionnel (plus ou moins 300-310 jours par année!). Disons que ça ne manque pas de maturité du fruit, et que les champignons nuisibles à la vigne sont assez tranquilles, faute humidité!

C'était mon tout premier «tête-à-tête» avec ce El Molar de la Casa Castillo, et quelle agréable surprise à sa dégustation! Nous sommes rapido tombés amoureux de son style très gouleyant, juteux, friand, ainsi que de sa «glougloubilité» épatante. On sent des fruits rouges qui ont rôti sous le chaud soleil de la province de Murcia. C'est dodu, bien rempli et bourré de fraîcheur! Une belle trouvaille exclusivement faite de grenache (*garnacha* en espagnol), que nous avons pris plaisir à déguster!

ROUGE

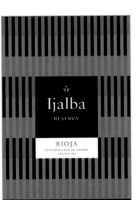

DANS LA MÊME LIGNÉE:
Rioja Reserva
Viña Ijalba 2011
CODE SAQ: 00478743
PRIX: 22,75 $

La Montesa Palacios Remondo 2012

20,⁶⁰ $

ORIGINE
Rioja – Espagne

CÉPAGES
Garnacha, tempranillo, mazuelo

À SERVIR À
16 °C

CARAFE
-

À BOIRE AVANT
2019–2020

SUCRE ET ALCOOL
2,2 g/l et 14 %

CODE SAQ
10556993

ACCORDS
Jouez l'accord espagnol en misant sur une belle sélection de tapas ! Tournez autour de la tomate, des olives, du jambon, des fromages gratinés, des saucisses…

UN GRAND TERROIR!

Vous allez vous gratter le coco longtemps si vous essayez de comprendre pourquoi ce vin ne coûte que 20 huards! Je me suis aussi posé pas mal de questions, mais, que voulez-vous, c'est très bon pour le prix demandé et c'est à vous d'en profiter, les amoureux du vin! L'an dernier, le 2011 s'était facilement fait une place dans le Top Vin de ce livre, et rebelote: le 2012 y fait encore belle figure cette année! Un grand terroir et un grand homme (sans oublier son amoureuse!) sont derrière cette étiquette de La Montesa. Ce nom signifie «la montée», un des endroits où le célèbre vigneron Alvaro Palacios jouait quand il était gamin. Pour 2$ de moins, mais dans un style pas mal plus juteux et primaire, vous pourrez mettre la main sur la cuvée La Vendimia du même producteur et de la même appellation.

Force est d'admettre qu'en dégustation à l'anonymat (car «dégustation à l'aveugle» ne se dit pas, selon le maître sommelier Jacques Orhon), je me serais probablement dirigé vers un rouge du Bordelais… Dans l'champ, et pas à peu près, oui! Ses notes de cuir, de figues, de feuilles mortes, de sucre brun et de fruits bien mûrs m'auraient fait penser à un assemblage de cabernet et de merlot. Il nous sera fort difficile de vous trouver un rouge plus complexe et plus savoureux que celui-ci à moins de 20$ en succursale… Bravo, Alvaro!

ROUGE

DANS LA MÊME LIGNÉE:
**Réserve du Château
Château Pey la Tour
Vignobles Dourthe 2011**
CODE SAQ: 00442392
PRIX: 22,95$

Monasterio de Las Viñas Gran Reserva Grandes Vinos y Viñedos 2005

20,⁷⁵ **$**

ORIGINE
Cariñena – Aragon – Espagne

CÉPAGES
Grenache, tempranillo, carignan

À SERVIR À
16 °C

CARAFE
-

À BOIRE AVANT
2018-2019

SUCRE ET ALCOOL
2,3 g/l et 13 %

CODE SAQ
10359156

ACCORDS
Une parfumée et réconfortante recette de gigot de bœuf, d'agneau ou de veau lui conviendra très bien. Si vous achetez la bouteille en sol ibérique, il faudra absolument trouver un chef qui vous concoctera une grosse et tellement conviviale paella de Valence!

8 412075 032350

CHARMES IMMÉDIATS DE KIRSCH
ET DE BAIES SAUVAGES.

Nombreux seront ceux qui se gratteront le coco en dégustant ce vin, se demandant comment le producteur peut nous vendre un si «beau jus» de presque 12 ans à seulement 20 «douleurs»! Sachez que la mention «Gran Reserva» indique que le vin doit séjourner en barrique et en bouteille pendant au moins cinq ans avant sa commercialisation. Donc, un 2005 à ce prix et de cette qualité, c'est *top notch*! Une dégustation entre amis autour d'un 2001 m'a convaincu que même après 15 ans, ces vins tiennent encore la route. Évolués certes, mais encore fort agréables à l'olfactif comme au gustatif. Par contre, faites gaffe : sur une centaine de bouteilles ouvertes lors d'un mariage, nous en avons écarté plus de 10 % qui étaient tristement attaquées par le maudit TCA 2, 4, 6 (le trichloroanisol, la détestable molécule qui donne un goût de bouchon au vin). Sachez que vous pouvez rapporter tout vin bouchonné à la SAQ, et ce, peu importe le millésime. On vous en donnera un autre. La bouteille doit cependant être pleine aux deux tiers.

Ce domaine d'Aragon décline sur notre marché une large gamme de vins dont le prix valse entre 12 et 38 $. Selon moi, celui qui vous en donnera le plus pour son prix est, de loin, ce Gran Reserva. Sa couleur profonde ne montre pratiquement aucun signe d'évolution. C'est violacé et visuellement fort invitant. Le nez aux charmes immédiats de kirsch (eau-de-vie de cerises) et de baies sauvages nous embaume agréablement bien l'organe nasal. Et que dire de la bouche qui possède des tanins soyeux, présents, mais fondus à la fois? Même après toutes ces années en bouteille, le vin sent encore quelque peu le bois. La longue, fraîche et persistante finale fait belle impression, et, grâce à elle, vous en demanderez assurément un autre verre!

DANS LA MÊME LIGNÉE :
Priorat Los 800 2010
CODE SAQ : 10860910
PRIX : 20,95 $

ROUGE

L'Ancien
Jean-Paul Brun
2015

20,⁹⁵ $

ORIGINE
Beaujolais – France

CÉPAGE
Gamay

À SERVIR À
14–15 °C

CARAFE
-

À BOIRE AVANT
2018-2019

SUCRE ET ALCOOL
2,7 g/l et 12 %

CODE SAQ
10368221

ACCORDS
Quand je pense à un bon beaujo bien frais, je pense illico à une grosse assiette de charcuteries en famille et entre amis, au chalet, à refaire le monde au bord du lac, autour d'un feu de camp. Saucissons, viande fumée, fromages cendrés, et que la fête commence !

FINESSE, VELOURS ET DENTELLE.

Rencontrer Jean-Paul Brun, c'est d'abord et avant tout serrer la pince à un vrai vigneron, un jardinier, un homme qui travaille plus dans ses parcelles, à travers les rangées de vignes, que dans son bureau, devant son ordi... Ce n'est vraiment pas une rock star du vin, il est *low profile* en ciboulot ! Il a une «bouille» sympathique, il aime rigoler, tout en restant simple et un brin effacé. Ses vins sont à la mesure de sa personne : ils n'ont pas besoin d'arriver avec tambours et trompettes. Ils sont discrets, agréables, et d'une efficacité exemplaire. Et cela n'est pas seulement «un sujet, un verbe et un compliment», car le gars est cool ! La gamme entière des quilles signées de la griffe de J.-P. Brun sont sans faille et dotées d'un «indice de buvabilité» épatant !

Si vous êtes un mordu de «gros rouges sucrés et boisés qui tachent», restez loin de ses vins. Ici, l'expression tourne plutôt autour de la finesse, du velours et la dentelle. Vive le beaujo, le bon beaujo ! Cette bouteille baptisée simplement «L'Ancien» se déguste à merveille dès maintenant. C'est un vin frais, rond, juteux, caressant et tout en souplesse. Une suggestion : si vous êtes, tout comme l'auteur de ces lignes, un amoureux des bons crus du Beaujolais, et que vous êtes de passage là-bas, envoyez un courriel à M. Brun et allez visiter ses installations au Domaine des Terres Dorées, à Villié-Morgon. Il adore les Québécois et vous recevra avec le sourire, si bien sûr son horaire le lui permet.

ROUGE

DANS LA MÊME LIGNÉE :
Sous les Balloquets
Louis Jadot 2013
CODE SAQ : 00515841
PRIX : 23,15 $

Campo Massimo Piona 2012

20,⁹⁵ $

ORIGINE
Vénétie – Italie

CÉPAGE
Corvina

À SERVIR À
15 °C

CARAFE
–

À BOIRE AVANT
2018

SUCRE ET ALCOOL
3,3 g/l et 13,5 %

CODE SAQ
12132035

ACCORDS
Il rendra bien fière une pleine assiette de charcuteries et de fromages cendrés. Une recette de boudin noir aux pommes ferait aussi un pas pire *match* à table avec cet italien.

Vieux pied de vigne.

NOTES DE KIRSCH, DE GRENADINE ET DE FRAISES DES CHAMPS.

Êtes-vous de plus en plus mordu de jus de raisin fermenté ? Organisez-vous chaque semaine ou chaque mois des rencontres-dégustations avec les copains ? Aimeriez-vous acheter un bon rouge à 20 $ qui déroutera les amis en dégustation à l'anonymat ? Si vous avez répondu oui à toutes ces questions, essayez de dénicher un flacon de cette cuvée de la Vénétie, région du nord de l'Italie ! Il donnera assurément pas mal de fil à retordre aux dégustateurs, car disons qu'il ne ressemble à rien, ou presque.

Sa coloration rouge briquée est très pâle. Le nez aux notes de kirsch, de grenadine et de fraises des champs peut nous rappeler certains rouges du Jura et du Beaujolais. Son atout le plus remarquable est cependant son gustatif souple, frais et hyperglissant. Donc, si vous affectionnez les rouges légers, peu tanniques et coulants à souhait, glissez-en une quille dans un bas de laine, en visant les 15 °C, et servez ce vin en demandant aux dégustateurs d'en identifier le cépage. Souhaitez-leur bonne chance ! S'il y en a un qui déclare qu'il s'agit d'un 100 % corvina de Vénétie, vous lui devrez une bonne quille de votre réserve !

ROUGE

DANS LA MÊME LIGNÉE :
Zisola
Mazzei 2013
CODE SAQ : 10542225
PRIX : 24,30 $

8 016118 461055

L'appel des Sereines François Villard 2014

21,²⁵ $

ORIGINE
Rhône – France

CÉPAGE
Syrah

À SERVIR À
15–16 °C

CARAFE
-

À BOIRE AVANT
2018–2019

SUCRE ET ALCOOL
2,1 g/l et 12,5 %

CODE SAQ
12292670

ACCORDS
Je me souviens très bien du goût succulent de la tartelette aux champignons sauvages du chef Alain Labrie, à l'époque de mes belles années à la défunte auberge Hatley, dans les Cantons-de-l'Est. Mmmm ! La symbiose entre ce rouge du Rhône et cette entrée chaude aurait été superbe ! Élaborez cette recette à votre façon pour mettre ce vin en valeur.

3 760090 460333

DES EFFLUVES DE TAPENADE D'OLIVES NOIRES, DE FLEURS MAUVES ET DE POIVRE.

À l'écoute de son terroir, le vigneron François Villard ne fait vraiment pas de vin pour un public ciblé. Les cépages rhodaniens (viognier, syrah, roussanne, marsanne...) n'ont pratiquement plus aucun secret pour lui. L'homme sait comment tirer une superbe expression aromatique et gustative de ses cuvées, et jamais une de ses quilles ne m'a laissé sur ma soif. Le vin ici présent est un contraste absolu par rapport aux pingouins, koalas et autres kangourous australiens «botoxés» ou des «trips à trois» maquillés du Golden State. On n'est pas là, mais vraiment pas. C'est le fruité qui jase ici, et non le sucre résiduel et les copeaux de bois. Comme ce n'est pas un produit régulier, il faudra fouiller sur le site de la SAQ ou surveiller les arrivages pour en trouver quelques quilles pour votre cellier. Il en vaut le détour !

Au début des années 1980, on comptait *grosso modo* 10 000 hectares de syrah dans le monde ; aujourd'hui, il y en a plus de 190 000. C'est qu'il y a un «gros buzz» autour de cette variété de raisin. Cette bouteille est baptisée «L'appel des Sereines», car, au XVIIIe siècle, la syrah était appelée «sira», «sirane», «serine» ou «sereine». Vous aurez deviné que ce rouge est exclusivement fait de shiraz... Oups ! de syrah ! C'est juste trop bon, et nous avons adoré les effluves de tapenade d'olives noires, de fleurs mauves et de poivre long qui abondaient dans le verre ! Les tanins sont tendres, veloutés, et le tout est fort plaisant. Il sera bien difficile de n'en boire qu'un verre...

DANS LA MÊME LIGNÉE :
Côtes du Rhône
E. Guigal 2012
CODE SAQ : 00259721
PRIX : 21,05 $

3 536650 501002

Campofiorin Masi 2012

21,⁸⁰ $

ORIGINE
Vénétie – Italie

CÉPAGES
Corvina, rondinella, molinara

À SERVIR À
17 °C

CARAFE
-

À BOIRE AVANT
2019–2020

SUCRE ET ALCOOL
2,6 g/l et 13 %

CODE SAQ
00155051

ACCORDS
Vous ferez le bonheur d'une demi-douzaine de bons vivants, bavards et ricaneurs, en leur servant ce vin sur des cubes de viande de gros gibiers à poil en fondue bourguignonne.

8 002062 000068

IL EST DANS UNE FORME OLYMPIQUE!

Est-ce que quantité peut parfois rimer avec qualité? Un domaine viticole produisant 1, 2, 3, 4 ou 5 millions de bouteilles par année peut-il nous livrer des fioles au contenu épatant? La réponse est oui, parfois, oui! Pour vous en convaincre, faites un essai avec la plupart des cuvées des Guigal, Mondavi, Frescobaldi, Torres, Cazes ou… Masi! Des domaines connus et reconnus aux quatre coins du monde, qui nous laissent rarement sur notre appétit (ou sur notre soif!). Une trentaine de cuvées de Sandro Boscaini et de son équipe, chez Masi, sont offertes chez nous. Suis-je en train de vous dire que tous ces vins vous conduiront à l'extase? Pas vraiment, non, mais ils sont tous sans fausse note.

Ce Campofiorin est proposé sur notre marché depuis 25 ans. Si vous le connaissez déjà, je vous conseille chaudement de goûter ce 2012 qui est dans une forme olympique cette année! La maison a d'ailleurs «coté» le millésime 2012 de 5 étoiles (c'est inscrit sur la collerette de la bouteille). Il sent les fruits confits et déshydratés (raisins secs, figues bien mûres, pruneaux…). La matière est présente et la concentration est au rendez-vous, mais ce vin reste fort glissant et sans lourdeur au gustatif. On apprécie son sage et discret 13% d'alcool. Certains amarones, coûtant 10-15$ de plus la bouteille, pourraient rougir de jalousie devant lui en dégustation à l'anonymat… Ce connu et classique produit italien est à redécouvrir!

ROUGE

DANS LA MÊME LIGNÉE:
Ripasso Bolla 2014
CODE SAQ: 11570682
PRIX: 20,55$

211

Les Fiefs d'Aupenac
Cave de Roquebrun 2013

21,⁹⁰ $

ORIGINE
Saint-Chinian – Languedoc-Roussillon – France

CÉPAGES
Syrah, grenache, mourvèdre

À SERVIR À
16 °C

CARAFE
-

À BOIRE AVANT
2019-2020

SUCRE ET ALCOOL
2,8 g/l et 14 %

CODE SAQ
10559166

ACCORDS
Un civet de lapin parfumé aux herbes de Provence, bien «plombé» de tranches d'olives noires. Si cet accord est trop hivernal pour vous, allez-y sur des viandes grillées (entrecôte, T-bone, bavette…) sur le barbecue.

UNE GOURMANDISE EXQUISE.

S'il y a trois cépages qui aiment être assemblés en vinification, c'est bien le grenache, la syrah et le mourvèdre. Les aficionados de vins bordelais vous diront que le cabernet sauvignon, le merlot et le cabernet franc s'entendent également à merveille, et ils ont bien raison eux aussi ! Je vous présente donc ici ce que de nombreuses personnes de l'industrie appellent un « GSM » (assemblage de grenache, de syrah et de mourvèdre) issu du favorable climat languedocien. La syrah domine à 60 %, et le reste est constitué à parts égales de grenache et de mourvèdre.

Même si je le goûte chaque année depuis 8-10 ans, c'est ce 2013 qui a retenu le plus mon attention. Aussitôt que nous l'avons goûté, Mathieu et moi avons dit la même chose : « *Top notch !* » C'est un vin intense, passablement riche et d'une gourmandise exquise. De plaisantes notes d'épices à cuisson, de cacao, de chocolat et de poivre moulu sont offertes au nez. Les tanins sont présents, l'acidité aussi, et ce vin pourra faire une bonne sieste d'au moins 4-5 ans dans votre « caverne ». Pour deux huards de moins, vous pourriez mettre la main sur le blanc des Fiefs d'Aupenac, un vin rond, gras, élancé et bien huilé au gustatif, fait de roussanne et de grenache blanc.

ROUGE

DANS LA MÊME LIGNÉE :
Lirac
Château Mont-Redon 2013
CODE SAQ : 11293970
PRIX : 24,95 $

Greppicante
I Greppi 2013

21,⁹⁵ $

ORIGINE
Bolgheri – Toscane – Italie

CÉPAGES
Cabernet sauvignon, merlot, cabernet franc

À SERVIR À
17 °C

CARAFE
30 minutes

À BOIRE AVANT
2020–2021

SUCRE ET ALCOOL
2,8 g/l et 13 %

CODE SAQ
11191826

ACCORDS
Des gros burgers d'agneau bien garnis de tranches de fromage, d'oignons caramélisés, de poivrons multicolores, de ketchup maison, d'une mayonnaise épicée… Miam !

8 033210 761241

UN VÉRITABLE COUP DE CŒUR !

Il y a de plus en plus de vins faits de cépages rouges bordelais (cabernet sauvignon, merlot, cabernet franc…) en terroir toscan, principalement dans la réputée zone viticole qu'est la Bolgheri. Le résultat est souvent remarquable et c'est justement le cas de cette cuvée baptisée Greppicante, de la famille Greppi. C'est un véritable coup de cœur qui a vu son prix dégringoler de 25 $ à un peu moins de 22 $ au printemps 2016. On appelle ça une solide emplette, puisque la qualité, elle, est la même. Donc, oui, vous pouvez profiter de son joli fruité en le buvant dès maintenant, mais vous pouvez l'allonger dans la noirceur de votre réserve pour au moins 4-5 ans. Et ce, même si la cueillette 2013 ne passera pas à l'histoire… 2014 et 2015 sont des récoltes nettement supérieures (et pas seulement en Italie, en France aussi). J'ai donc bien hâte de déguster ce cru toscan de ces nouveaux millésimes dans les prochains mois.

Vous profiterez davantage de ses vertus olfactives et gustatives en l'oxygénant au moins une demi-heure en carafe. Sa couleur est foncée. Un petit côté chauffé et torréfié est présent. Le vinificateur a dû utiliser des barriques de deuxième et troisième usage pour le vieillissement. C'est du bien beau boulot, car le bois ne prend pas la place du fruit. Les tanins sont serrés, passablement compacts, et c'est juste trop bon pour une fiole à moins de 22 douilles !

ROUGE

DANS LA MÊME LIGNÉE :
Chianti Classico
Le Miccine 2013
CODE SAQ : 12257559
PRIX : 22,05 $

Combe d'Enfer Château Signac 2014

22,⁴⁵ $

ORIGINE
Côtes-du-Rhône Villages Chusclan – Rhône – France

CÉPAGES
Grenache, syrah

À SERVIR À
16 °C

CARAFE
–

À BOIRE AVANT
2021-2022

SUCRE ET ALCOOL
1,7 g/l et 14 %

CODE SAQ
00917823

ACCORDS
Ragoût, mijoté, osso buco ou autres plats de longue cuisson, copieux et réconfortants, lui feront honneur. Un vin parfait pour les soirées froides de février, mais également pour les après-midi plus lumineux autour des grillades BBQ.

JUTEUX, ÉPICÉ, MÉDITERRANÉEN.

On aimerait boire plus souvent des vins de la réputée zone de Châteauneuf-du-Pape, mais, malheureusement, ils sont passablement dispendieux. Il faut allonger au moins 35-40$ pour un Châteauneuf qui procure plaisir et satisfaction. Lazaret, La Gardine et Nalys en mettent d'épatants en bouteille dans cette gamme de prix. Pour dénicher des vins ayant des airs de famille avec cette célèbre région du Rhône méridional, je vous conseille de vous diriger vers des produits de Gigondas, Cairanne ou Vaqueyras, appellations situées à «quelques parcelles» de Châteauneuf. On y cultive les mêmes cépages et, même si le sol est différent, le soleil y est tout aussi présent. Ainsi, ce Côtes-du-Rhône Villages Chusclan partage-t-il de nombreuses similitudes aromatiques et gustatives avec les vins de Châteauneuf.

Ce Combe d'Enfer est plus joufflu que jamais! Juteux, épicé, méditerranéen, détaillé... Pas trop tannique, il est bien typé Rhône Sud. Derrière sa nouvelle étiquette, le jus est encore meilleur que par le passé, mais 5-6 ans de sieste en cave ne lui causeraient pas trop de rides. Vous serez peut-être heureux de savoir qu'il y a un peu de notre belle province dans ce vin-là... Pourquoi? Parce que la femme du vigneron français qui élabore ce vin est une dame de la région de Portneuf!

ROUGE

DANS LA MÊME LIGNÉE :
Cuvée Joseph Torrès
Château de Nages
2012
CODE SAQ : 00567115
PRIX : 25,95 $

0 690604 000041

Caburnio Monteti 2012

22,⁹⁰ $

ORIGINE
Toscane - Italie

CÉPAGES
Cabernet sauvignon, alicante bouschet, merlot

À SERVIR À
16-17 °C

CARAFE
30-45 minutes

À BOIRE AVANT
2021-2022

SUCRE ET ALCOOL
1,7 g/l et 13,5 %

CODE SAQ
11305580

ACCORDS
Mouillez une assiette de pâtes fraîches de votre meilleure sauce à spaghetti maison (vous savez, celle qui embaume si bien toute la maison durant l'automne !). En plus de toutes sortes d'épices et de légumes, vous pourriez y ajouter des saucisses de gibier, mais aussi le classique et fort efficace bœuf haché.

DU BEAU BOULOT À L'ITALIENNE !

Vous n'avez pas besoin d'avoir 25-30 ans d'expérience dans le vin ni d'avoir le «nez bionique» des Chartier, Bélanger, Rivest, Orhon ou Caron pour vous apercevoir que ce vin possède un profil vachement européen ! C'est un fruit bien mûr, qui a rôti sous le chaud soleil de Toscane, qui «jacasse» ici dans le verre. Ses 4-5 ans d'âge lui vont à ravir. Donc, non, pas d'élevage en fût de chêne neuf, abusif, ni de taux d'alcool à 15-15,5 % qui endommage les papilles, ni un inutile 10-12 g/l de sucre. Car, oui, même en Italie de nombreux producteurs laissent «traîner» des sucres résiduels dans leurs cuvées. Ce Caburnio a *grosso modo* 1,5 g/l de sucre, c'est donc *bone dry*, comme disent nos cousins anglophones ! Ce qui le rend hyperdigeste, ni encombrant ni pâteux en dégustation.

Pour moins de 23 $, vous serez agréablement surpris par la qualité de son fruit. Soyez patient avec lui, mais, si vous lui faites sauter le bouchon dans les prochaines semaines, donnez-lui un peu d'air. C'est un jeune, gourmand, ambitieux et généreux rouge qui a besoin de se dégourdir en carafe pour encore mieux s'exprimer. Il possède une signature quelque peu bordelaise (et Dieu sait que Bordeaux n'est pas à deux pas de la Toscane). Cela s'explique assez facilement par la présence de cabernet sauvignon et de merlot dans l'assemblage. C'est frais en bouche, l'élevage en barrique est finement dosé, fort bien maîtrisé. Si vous avez un *chum* mordu de bonnes quilles et que vous désirez lui en ouvrir une bonne à l'anonymat, cachez cette bouteille dans une grosse chaussette de laine et mettez-le au défi de deviner sa provenance et son millésime. Demandez-lui aussi combien il serait prêt à payer pour ce vin. Pour ma part, j'aurais probablement valsé entre 26 et 28 $. Les flaveurs d'anis étoilé, de réglisse et de menthol sont exquises. Ce vin est d'une «buvabilité» épatante et je n'ai que de bons mots à son égard. Du beau boulot à l'italienne !

ROUGE

DANS LA MÊME LIGNÉE :
Chianti Classico Fonterutoli
Mazzei 2013
CODE SAQ : 00856484
PRIX : 25,85 $

Coto de Imaz Reserva El Coto 2010

23,05 $

ORIGINE
Rioja – Espagne

CÉPAGE
Tempranillo

À SERVIR À
16–17 °C

CARAFE
–

À BOIRE AVANT
2020–2021

SUCRE ET ALCOOL
2,3 g/l et 13,5 %

CODE SAQ
10857569

ACCORDS
Jouez la carte espagnole en mijotant une conviviale et festive paella. Chorizo, poivrons, safran, oignons et compagnie s'entendront à merveille avec cette quille de la Rioja !

TABAC À PIPE, SOUS-BOIS, ÉPICES ET CUIR.

Si on veut mettre la main sur une bouteille ayant quelques
«millésimes derrière la cravate» sans trop malmener sa carte de
crédit, il faut, en succursale, aller se balader dans la section des
vins d'Espagne. Il n'est pas rare d'y trouver des flacons de 8, 10
ou 12 ans à moins de 20-25 $. De nombreuses bodegas ont la
patience (et les reins assez solides!) pour faire vieillir leurs crus
dans leurs caves avant de les exporter. Donc, oui, les vins
espagnols sont souvent conservés en barrique ou en bouteille
plus longtemps que dans d'autres pays avant de se retrouver
dans notre verre. Cela les rend-il meilleurs pour autant? Pas
nécessairement : c'est une affaire de goût personnel!

Ce 100 % tempranillo jouit de la splendide récolte
européenne de 2010. Donc, malgré ses 6 ans d'âge, le produit
est encore en excellente forme. Sa coloration aux reflets tuilés
nous laisse croire qu'il possède une certaine évolution. Disons
qu'il est en phase secondaire et qu'on devra le boire dans les
5-6 prochaines années. On y hume un bouquet rappelant le
tabac à pipe, le sous-bois, les épices, le cuir... Son plus bel
atout est sans équivoque son gustatif, passablement complexe et
agréable au possible. Notez qu'une fois la bouteille ouverte, il
faudra boire ce vin dans les 10-12 heures, car il est assez
oxydatif.

ROUGE

DANS LA MÊME LIGNÉE :
Rioja Reserva
Montecillo 2009
CODE SAQ : 00928440
PRIX : 23,00 $

La Rosa Quinta de la Rosa 2012

23,⁴⁰ $

ORIGINE
Douro – Portugal

CÉPAGES
Touriga nacional, tinta roriz

À SERVIR À
16 °C

CARAFE
-

À BOIRE AVANT
2019-2020

SUCRE ET ALCOOL
0,6 g/l et 14 %

CODE SAQ
00928473

ACCORDS
Des côtes de veau ou de porc allongées sur un «lit» de quinoa bien garni de champignons sauvages. De nombreux plats réconfortants de longue cuisson, automnaux et hivernaux, lui iront également très bien.

GÉNIAL !

Parmi les cépages rouges les plus connus du grand public, nous pouvons citer le merlot, la syrah, le cabernet sauvignon, le zinfandel, le sangiovese, le pinot noir, le grenache, le malbec et le cabernet franc. Il faut comprendre que même si un vin ne contient pas dans son assemblage l'une de ces variétés de raisin, il ne sera pas mauvais pour autant. De nombreux cépages moins connus sont à la base de vins qui vous donneront du «gros fun» en bouche et au nez : la corvina pour les amarones ; le mourvèdre pour les bandols ; le nebbiolo pour les barolos ; la petite syrah pour certains rouges de Californie ; ou même un cépage peu connu de monsieur et madame Tout-le-monde, le formidable touriga nacional du Portugal septentrional. Près de 70 % de cette dernière variété est présente dans ce rouge du Douro. Le résultat dans la bouteille est génial !

Ceux qui connaissent et affectionnent les portos ne seront pas trop déboussolés, car les similitudes aromatiques sont flagrantes. Fruits très mûrs, cacao, café, épices… Le vin est hyperjuteux, les tanins sont bien enrobés, l'élégance et la matière font bon ménage. Nous avons dégusté une ou deux autres cuvées de Quinta de la Rosa ces derniers mois et aucune n'était dépourvue de bon goût.

DANS LA MÊME LIGNÉE :
Cedro do Noval
Quinta do Noval 2010
CODE SAQ : 12385155
PRIX : 21,95 $

5 601064 000248

8 414542 100104

Muga Reserva Bodegas Muga 2012

24,⁰⁰ $

ORIGINE
Rioja – Espagne

CÉPAGES
Tempranillo, grenache, graciano, mazuelo

À SERVIR À
16–17 °C

CARAFE
20–30 minutes

À BOIRE AVANT
2020–2021

SUCRE ET ALCOOL
2,8 g/l et 14 %

CODE SAQ
00855007

ACCORDS
Sublimez vos burgers en les préparant avec de la viande hachée d'agneau, puis ajoutez-y quelques tranches de Migneron de Charlevoix, du bon guacamole, des poivrons multicolores, des oignons caramélisés et un ketchup maison. Ce juteux rioja sera aux petits oiseaux avec vos hambourgeois de haute voltige !

UN BOUQUET DE FRUITS CUITS.

Les Espagnols sont les «rois» du vieillissement des vins en barrique et en bouteille. Ils sont patients et de nombreuses cuvées séjournent de longs mois en fûts de chêne français ou américain (habituellement). Ça nous donne la chance de mettre la main sur des quilles ayant quelques millésimes sous le bouchon! En fouillant sur le site du monopole, vous trouverez des Reserva et des Gran Reserva de 2012, 2010, 2009, ou même certains 2005 qui flânent encore sur nos tablettes. Ces types de vins sont prêts à la consommation : leurs tanins sont généralement fondus et ils ne sont pas trop «ambitieux» ni hyperfougueux comme le sont de nombreux rouges sud-américains, australiens ou sud-africains de 2014 ou de 2015, un peu trop pressés de débarquer sur notre marché...

Ce Muga Reserva a séjourné pendant deux ans sous bois. Sent-il l'infusion de deux par quatre à pleines narines? Pas du tout! C'est boisé, mais pas trop. Sa couleur est vachement invitante à la dégustation. Après une légère aération, le vin offre un bouquet de fruits cuits, de feuilles mortes, de cuir et de figues bien mûres. La bouche est généreuse, riche, étoffée, gourmande, et de jolies saveurs boisées sont présentes en rétro-olfaction. Pour de plus grandes émotions, je vous suggère de mettre la main sur les cuvées haut de gamme de Muga, qui entrent au compte-gouttes sur notre marché. Ils font du «gros jus» en ciboulot!

ROUGE

DANS LA MÊME LIGNÉE :
Celeste Crianza
Miguel Torres 2012
CODE SAQ : 11741285
PRIX : 22,05 $

8 410113 003508

Ortas Prestige Cave de Rasteau 2011

24,²⁵ $

ORIGINE
Rasteau – Rhône – France

CÉPAGES
Grenache, syrah, mourvèdre

À SERVIR À
16 °C

CARAFE
–

À BOIRE AVANT
2021–2022

SUCRE ET ALCOOL
2,7 g/l et 14 %

CODE SAQ
00952705

ACCORDS
Une tourte de petits gibiers bien fournie en champignons sauvages. Le thym, le poivre, le ketchup et compagnie seront de bons agents de liaison avec ce méridional cru du Rhône.

Phil avec Mario Landry, l'un de ses précieux collaborateurs.

DES PARFUMS D'HERBES PROVENÇALES.

À travers le réseau de la SAQ, vous trouverez la cuvée Tradition (un peu moins de 18 $) et celle que je présente ici, l'édition Prestige. Toutes deux sont élaborées par la Cave de Rasteau, dans le Rhône méridional. Quelle est la différence entre une cuvée d'entrée de gamme, de milieu de gamme et de haut de gamme ? Divers facteurs entrent en jeu. Souvent, le vin à petit prix du domaine pourra être issu de raisins achetés, alors que les cuvées les plus chères seront généralement issues des vignes de la propriété. Il faut aussi tenir compte de l'âge des vignes, du vieillissement du vin en barrique ou en bouteille, du rendement en hectolitres par hectare. Donc, un vin plus cher sera habituellement fait de vignes plus âgées, ayant de plus faibles rendements.

L'appellation Rasteau s'est hissée au rang des Crus des Côtes du Rhône en 2010. L'attente de cette consécration aura été longue pour les vignerons locaux qui ont été fort patients à l'égard du système législatif. Cette cuvée Prestige est plus épanouie que jamais sous la belle cueillette rhodanienne de 2011 ! Une surprenante concentration est présente et les parfums d'herbes provençales embaument agréablement l'organe nasal. Profond, complexe, épicé, gourmand… Un vin fort recommandable qui se compare sans complexe à certains vacqueyras et gigondas à 5 ou 10 $ de plus la bouteille.

ROUGE

DANS LA MÊME LIGNÉE :
Syrah
Cortes de Cima 2012
CODE SAQ : 10960697
PRIX : 25,65 $

Villa Antinori
Antinori 2012

24,⁶⁰ $

ORIGINE
Toscane – Italie

CÉPAGES
Sangiovese, cabernet sauvignon, merlot, syrah

À SERVIR À
16–17 °C

CARAFE
20–30 minutes

À BOIRE AVANT
2021–2022

SUCRE ET ALCOOL
1,2 g/l et 13 %

CODE SAQ
10251348

ACCORDS
Une épaule d'agneau braisée ou confite, aromatisée au romarin et aux gousses d'ail, serait en harmonie avec lui. J'ai une idée ! Le désormais célèbre et tellement *comfort food* couscous de ma maman, Michèle !

0 088586 002755

POUR TOMBER AMOUREUX
DE LA PARADISIAQUE TOSCANE.

Votre dernière dégustation d'un vin de Toscane remonte-t-elle à un tête-à-tête avec une fiasque (*fiasco* en italien) entourée de paille? Vous savez, ces fioles qui finissaient souvent leur vie en chandeliers… Tout le monde en a vu dans le vieux sous-sol chez les parents, dans les années 1970-1980, non? Pourquoi mettait-on de la paille autour de la bouteille? Tout simplement pour la protéger des chocs pendant les déplacements, car le verre de ces cuvées de «début de gamme» était mince et fragile. Cela permettait aussi de préserver le vin de la lumière. Selon les producteurs de chianti avec qui j'ai discuté, jamais aucune cuvée de «haute voltige» n'a été embouteillée dans ce type de flacon. Pour en revenir à nos moutons, voici un «môzusse» de bon vin rouge qui vous fera vite tomber ou retomber amoureux de la paradisiaque Toscane!

Ce Villa Antinori 2012, un assemblage de quatre cépages, possède une belle sève, des tanins polis et une certaine richesse en bouche. Si ma mémoire organoleptique est bonne, il est un brin plus concentré que dans les millésimes précédents. Rien de *too much*, par contre; on reste dans le bon «goût»!

ROUGE

DANS LA MÊME LIGNÉE :
Brolo Campofiorin Oro
Masi 2008
CODE SAQ : 11836364
PRIX : 26,95 $

8 002062 001546

Il Falcone Rivera 2009

24,⁸⁵ $

ORIGINE
Castel del Monte – Les Pouilles – Italie

CÉPAGES
Nero di troia, montepulciano

À SERVIR À
16–17 °C

CARAFE
-

À BOIRE AVANT
2018–2019

SUCRE ET ALCOOL
1,6 g/l et 13,5 %

CODE SAQ
10675466

ACCORDS
Une belle grosse assiette de pâtes en sauce tomate, gratinées. Râpez un fromage à pâte ferme sur une lasagne, des cannellonis, des spaghettis… et vous ferez un voyage en Italie tout en restant dans le confort de votre *casa* !

ESSAYEZ CE SAVOUREUX ROUGE ITALIEN.

Avec ce vin, je vous propose une balade dans la partie la plus méridionale de l'Italie, les Pouilles. Cette région est en quelque sorte le talon aiguille de ce magnifique pays en forme de botte. Les principaux cépages rouges que l'on rencontre dans les *Puglia* sont le primitivo, le negroamaro, le montepulciano, le merlot, le malvasia nera et l'«encore moins connu» nero di troia. Ce dernier domine à 85 % l'assemblage de cette cuvée Il Falcone. Donc, sortez de votre zone de confort et oubliez un peu les cabernets, merlots et syrahs de ce monde en essayant ce savoureux rouge italien.

Comme il a déjà 7-8 ans d'âge, il est passablement évolué. Disons qu'il est en phase secondaire et que les deux tiers de sa vie sont déjà derrière lui. Donc, ne le gardez pas plus de trois ans dans votre réserve, sinon il sera quelque peu à bout de souffle à son ouverture. On y hume des effluves de boîte à cigares, de cuir, de feuilles mortes, de cannelle, de clou de girofle et de fruits rôtis. Le gustatif possède profondeur, complexité et détail. Je «sifflerais» bien un verre de ce vin fort réconfortant après une soirée de ski, devant un crépitant feu de cheminée.

ROUGE

DANS LA MÊME LIGNÉE :
Notarpanaro
Taurino 2007
CODE SAQ : 00709451
PRIX : 21,75 $

Le Chapitre Suivant René Bouvier 2012

24,95 $

ORIGINE
Bourgogne – France

CÉPAGE
Pinot noir

À SERVIR À
15 °C

CARAFE
-

À BOIRE AVANT
2018

SUCRE ET ALCOOL
0,1 g/l et 12,5 %

CODE SAQ
11153264

ACCORDS
La délicieuse et tellement réconfortante longe de porc rosée beauceronne, de ma défunte belle-maman, Réjeanne, lui était en parfaite harmonie. Pour dynamiser la symbiose et charmer encore plus ce joli vin bourguignon, vous pourriez farcir cette longe de petits fruits rouges.

PAIN D'ÉPICES, LIQUEUR DE CASSIS, CONFITURE DE CERISES, SIROP DE GRENADINE.

On attribue de nombreuses vertus médicinales au pinot noir. Bu avec modération, il réduirait les risques de maladies coronariennes, surtout chez la gent masculine. Désolé, mesdames… Je n'invente rien (et n'y connais pas grand-chose non plus !), c'est le talentueux docteur en biochimie Richard Béliveau qui l'a dit. Au-delà de ses bienfaits pour la santé, c'est bon en ciboulot, du pinot, quand c'est élaboré sur un terroir propice et par un bon vigneron ! De nombreux amoureux du vin vous diront que c'est le plus grand et le plus noble de tous les cépages rouges de la planète, mais il ne faudrait pas oublier des variétés comme la syrah, le cabernet et le nebbiolo. Ça reste quand même une affaire de goût personnel.

Eh bien, si deux verres de pinot par jour réduisent les risques de souffrir d'une crise cardiaque, vous n'aurez aucun mal à respecter la posologie, car celui-ci se déguste à merveille ! Sous une coloration rouge assez claire se cache un vin aux notes de pain d'épices, de liqueur de cassis, de confiture de cerises, de sirop de grenadine… Les tanins sont veloutés et passablement fondus. C'est rassasiant, facile à boire, glissant, tendre et fort réussi. Toujours en tête de peloton des meilleurs pinots noirs, toutes destinations confondues, à moins de 25-26 $ sur notre marché !

ROUGE

DANS LA MÊME LIGNÉE :
Bourgogne Joseph Faiveley 2014
CODE SAQ : 00142448
PRIX : 25,75 $

Clos de los Siete
Michel Rolland 2012

24,⁹⁵ $

ORIGINE
Mendoza – Argentine

CÉPAGES
Malbec, merlot, cabernet sauvignon, syrah, petit verdot

À SERVIR À
16-17 °C

CARAFE
30-40 minutes

À BOIRE AVANT
2021-2022

SUCRE ET ALCOOL
2,7 g/l et 14,5 %

CODE SAQ
10394664

ACCORDS
Faites mouche en élaborant une symbiose régionale avec ce coloré rouge argentin ! Du bœuf ? Bien sûr que oui ! Des brochettes, une bavette, un onglet ou un filet mignon…

UN VIN ÉPATANT POUR VOTRE CAVE.

Ce rouge argentin de bonne mouture est signé par sept vignerons bordelais, dont le plus célèbre est l'œnologue Michel Rolland. Les premières vignes de ce projet collectif de la région viticole de Mendoza ont été plantées en 1999, et le premier millésime mis en bouteille fut le 2002. Si vous aimez ce goûteux et fourni rouge sud-américain, je vous conseille de l'oublier quelques années, car il sera encore plus agréable après 5-6 ans de sieste en cave. Sa fougueuse jeunesse se dissipera avec le temps pour laisser place à un vin plus complexe et détaillé. Disons que c'est un produit épatant, pour à peine 25 douilles!

Si vous apportez cette bouteille lors d'un mariage, je vous recommande de vous tenir loin de la belle robe blanche de la mariée… C'est le genre de vin qui tache, et pas à peu près! C'est profond, dense, violacé… On y perçoit des notes de mine et d'aiguisoir à crayon, de réglisse et de crayon-feutre. Ses 15% d'alcool peuvent être quelque peu effrayants à la première approche, mais le vin a la colonne vertébrale et la structure pour ne pas devenir capiteux et encombrant en dégustation. Une généreuse masse de fruits est présente et on pourrait dire qu'on ne joue pas dans la dentelle. Donc, les amoureux de Pisse-Dru et de Beaujo Nouvo devraient peut-être s'abstenir!

ROUGE

DANS LA MÊME LIGNÉE :
Malbec
Achaval Ferrer 2014
CODE SAQ : 11473268
PRIX : 30,75 $

Pèppoli
Antinori 2014

24,⁹⁵ $

ORIGINE
Chianti Classico – Toscane – Italie

CÉPAGES
Sangiovese, merlot, syrah

À SERVIR À
17 °C

CARAFE
20-30 minutes

À BOIRE AVANT
2020-2021

SUCRE ET ALCOOL
1,7 g/l et 13 %

CODE SAQ
10270928

ACCORDS
Sortez « la totale » pour la séduire à table ! Genre ? Des côtelettes d'agneau bien marinées sous une « parcelle complète » d'herbes de Provence. Sans oublier les quelques larmes de bonheur d'une onctueuse et pénétrante huile d'olive du prestigieux terroir italien. Bonne fin de soirée, les amoureux…

8 001935 001607

GOÛTEUX ET TOUT EN FINESSE.

Même si ce rouge italien est charmant, sensuel et quasi romantique, il ne vous donnera probablement pas plus de «pep au lit»! Bon, oui, c'est un jeu de mot douteux... Ça reste quand même, selon moi, un cru à servir lors d'une soirée en tête-à-tête avec l'être aimé. Il ne vous fera pas honte non plus devant quatre ou cinq *chums* réunis pour regarder le match de hockey, mais disons qu'il a pas mal plus sa place entre deux tourtereaux qui se font paisiblement la cour... Bref, c'est un ciboulot de beau *vino italiano*, les cocos! Surtout si vous prenez soin de le servir à la bonne température, de l'oxygéner en carafe quelques minutes et de le servir dans un bon verre à dégustation.

Après deux bouteilles défectueuses, nous avons été entièrement satisfaits avec la troisième. Ce 2014 est en grande forme et il partage de petits airs de famille avec ses frangins des superbes cueillettes de 2007 et de 2010. Vous succomberez à ses enivrants parfums de cerises à noyau, de feuilles de tabac, de boîte à cigares... Son olfactif invite à le prendre en bouche rapidement. C'est goûteux, imprégnant, tout en finesse, et sans la moindre trace de maquillage un peu trop «techno», qui serait de toute façon totalement inutile. Son acidité, sa délicatesse et ses jolis et bien polis tanins apportent un vent de fraîcheur. Un investissement de 25 douilles qui vous fera pratiquement toucher le ciel azur de la splendide et amoureuse Toscane!

ROUGE

DANS LA MÊME LIGNÉE:
Rocca Guicciarda Riserva
Barone Ricasoli 2013
CODE SAQ: 10253440
PRIX: 28,35$

0 618109 777510

237

Brolio
Barone Ricasoli
2013

25,⁰⁰ $

ORIGINE
Chianti Classico – Toscane – Italie

CÉPAGES
Sangiovese, merlot, cabernet sauvignon

À SERVIR À
17 °C

CARAFE
60–90 minutes

À BOIRE AVANT
2026–2027

SUCRE ET ALCOOL
2,6 g/l et 13 %

CODE SAQ
00003962

ACCORDS
Mettez votre tablier de cuisinier et mijotez un beau magret de canard ou d'oie sauvage. Allongez le tout sur un riz aux champignons sauvages et servez-vous une bonne rasade de ce savoureux et détaillé rouge italien !

0 618109 027516

DIABLEMENT BON !

À l'hiver 2016, nous avons reçu la visite du baron Francesco Ricasoli à Québec. L'homme tient les rênes du célèbre Castello di Brolio, dans le Chianti Classico. Nous avons eu le plaisir de déguster quelques crus toscans en sa présence, et l'un d'eux restera gravé à jamais dans mes mémoires visuelle, olfactive et gustative. Le Brolio Rosso du millésime 1927… Oui, oui, un sangiovese de 89 ans qui était encore mieux que juste buvable ! Sa coloration était pâle et il était en phase tertiaire assez avancée. Un nez de confiture d'oranges (marmelade) et de fruits ultra-confits était présent. Sans être d'une vigueur ou d'une énergie épatante au gustatif, le vin possédait toujours une certaine acidité et un goût unique dont mes papilles se souviendront à jamais. Cela dit, vous n'aurez aucun problème à dénicher un ou deux flacons de ce Brolio que je salue ici, car c'est un produit régulier, présent dans les 400 succursales de la SAQ. Après une bonne aération en carafe, le vin libère de séduisants arômes de petites baies sauvages, de bois neuf, de tapenade d'olives noires… Quelle ravissante définition au gustatif ! C'est goûteux, complexe, savoureux, et de très bon relief. Bon, bon, je m'emporte un peu, mais, pour 25 $, c'est diablement bon ! Pour finir, je ne vous conseille pas de le conserver pendant un siècle dans la noirceur de votre réserve personnelle, mais disons qu'une sieste d'une décennie ne lui ferait pas peur.

ROUGE

DANS LA MÊME LIGNÉE :
Chianti Classico Riserva
Rocca delle Macìe 2011
CODE SAQ : 10324543
PRIX : 24,70 $

Château St-Jean 2013

25,³⁰ $

ORIGINE
Sonoma – Californie – États-Unis

CÉPAGE
Pinot noir

À SERVIR À
15–16 °C

CARAFE
-

À BOIRE AVANT
2019–2020

SUCRE ET ALCOOL
3 g/l et 14,2 %

CODE SAQ
00567420

ACCORDS
Un burger de saumon et sa salade de betteraves rouges et jaunes feraient une assez formidable symbiose à table. Vous pourriez également tourner autour du thon, des charcuteries, du porc...

0 089819 059041

ÉLÉGANT, FIN, CARESSANT, GOÛTEUX, SOYEUX...

On trouve le capricieux cépage pinot noir principalement en Bourgogne, en Oregon, en Nouvelle-Zélande, en Californie, en Ontario et dans «quelques parcelles», ici et là, dans la Loire, au Chili, en Alsace, en Allemagne, en Champagne... Il est vulnérable aux grosses chaleurs intenses, au climat trop froid, à l'humidité, et j'en passe. De plus, son rendement (hectolitres par hectare) n'est pas très élevé. Les amoureux de cette noble variété de raisin savent qu'il ne faut pas avoir peur de plonger la main dans sa poche pour s'en procurer un qui leur inspirera un peu d'émotion. Si vous êtes prêts à allonger 25 $ pour en acheter un bon, vous êtes au bon endroit, les amis !

Sa coloration pâle et peu profonde est fort représentative des vins faits à base de ce grand cépage. Le nez immédiat déploie des émanations fort invitantes de bonbons à un sou, de jujube et de cerises broyées. En bouche, c'est élégant, fin, caressant, goûteux, soyeux... Du vrai velours ! Ce vin signé par l'américain Château St-Jean est excitant, quasi sexy et de «bonne descente». Si vous êtes de passage dans la région de Sonoma, à un peu plus d'une heure de route au nord de la superbe ville de San Francisco, passez visiter ce fort accueillant domaine viticole du Golden State.

ROUGE

DANS LA MÊME LIGNÉE :
Bourgogne Les Ursulines
Jean-Claude Boisset 2014
CODE SAQ : 11008121
PRIX : 23,70 $

3 260980 023643

Riserva Ducale Ruffino 2012

25,⁸⁰ $

ORIGINE
Chianti Classico – Toscane – Italie

CÉPAGES
Sangiovese, merlot, cabernet sauvignon

À SERVIR À
17 °C

CARAFE
30–40 minutes

À BOIRE AVANT
2020–2021

SUCRE ET ALCOOL
2,7 g/l et 12,5 %

CODE SAQ
00045195

ACCORDS
Une symbiose régionale mettant en vedette ce vin et une copieuse assiette de pâtes serait impeccable. Des papardelles aux champignons sauvages mouillés de 3-4 gouttes d'huile de truffe, et vous crierez «EURÊKA»!

8 001660 109753

ROMANTIQUE ET QUASI SENSUEL.

On vous dit ça sans tambour ni trompette, mais ce guide est déjà notre sixième en six ans ! Si vous avez mis la main sur une des précédentes éditions, vous avez dû vous rendre compte que les vins italiens sont bien représentés. C'est vrai, et les raisons en sont simples. D'abord, en volume, les ventes des vins de ce pays au Québec frôlent les 23-24 % de tous les produits. Et puis j'aime l'Italie. On y mange bien, c'est un pays riche sur le plan historique, les gens sont sympathiques et accueillants, et j'adore leurs vins ! Rien de mieux qu'un barolo vieilli juste à point, qu'un amarone ayant deux ou trois décennies derrière la cravate ou qu'un chianti classico dégusté en tête-à-tête avec mon amoureuse. Sans oublier les huiles d'olive, les fromages, les charcuteries, les vinaigres balsamiques… ! Miam ! *Viva Italia !*

Hésitez-vous à sortir 25-30 douilles pour une bonne quille de rouge parce que vous avez été échaudé récemment à cause d'une bouteille qui manquait de punch ? Je vous comprends ! Mais faites tout de même un essai avec ce cru à signature très « vieux continent », aux parfums invitants et envoûtants ! Ce vin est passablement évolué et on y sent, entre autres, des notes de cuir et de cassonade. C'est du vrai velours au gustatif, et ce, même si les tanins sont bien présents. Un vin romantique et quasi sensuel, goûteux et frais à la fois.

ROUGE

DANS LA MÊME LIGNÉE :
Chianti Classico
Fontodi 2012
CODE SAQ : 00879841
PRIX : 32,25 $

Domaine Terre Rouge Easton 2013

26,⁰⁰ $

ORIGINE
Californie - États-Unis

CÉPAGE
Zinfandel

À SERVIR À
16 °C

CARAFE
-

À BOIRE AVANT
2019-2020

SUCRE ET ALCOOL
3,5 g/l et 14,5 %

CODE SAQ
00897132

ACCORDS
Vous pourrez aisément jouer la carte régionale en élaborant un accord avec un copieux plat à l'américaine. Des côtes levées bien juteuses, marinées dans une sauce barbecue au Jack Daniel's, seront en bons termes avec la sève et la richesse de ce goûteux *red wine* des USA !

0 690171 101080

UN ZINFANDEL FORT GÉNÉREUX ET JUTEUX.

Connaissez-vous le zinfandel? Avez-vous déjà goûté un zin de haut de gamme? Les préjugés sont tenaces à l'égard de cette variété de raisin, et c'est tout à fait normal. C'est la faute aux nombreuses bouteilles de rosé (les *white zinfandel*) bien riches en sucres résiduels, mais aussi aux rouges de début de gamme qui ne rendent nullement justice à ce cépage qui peut pourtant donner des résultats formidables. Quand les vignes ont au moins 10-15 ans d'âge, qu'on respecte leur rendement (en hectolitres par hectare) et qu'on maîtrise bien l'élevage du vin en fût de chêne, il peut en résulter un produit délicieux. Vous pourrez convaincre vos papilles et celles de vos amis en mettant la main sur un zinfandel américain de Ridge, Turley, Seghesio, Inglenook, Beringer, ou du grand vinificateur Bill Easton.

Ce vin est fort juteux et d'une générosité loin d'être *too much*. Son goût n'est pas enseveli sous le sucre, les copeaux de bois et autres artifices qui rendent certains vins trop racoleurs et artificiels. Une bonne ossature et une gourmande masse fruitée sont présentes. Évitez de le servir à plus de 17-18 °C, car ses 14,5 % d'alcool vous «paralyseraient» les papilles et la digestibilité prendrait le bord assez vite!

ROUGE

DANS LA MÊME LIGNÉE:
7 Deadly Zins
Michael David
CODE SAQ: 11383473
PRIX: 24,25 $

Produttori del Barbaresco 2014

26,⁰⁵ $

ORIGINE
Langhe – Piémont – Italie

CÉPAGE
Nebbiolo

À SERVIR À
17 °C

CARAFE
20–30 minutes

À BOIRE AVANT
2019-2020

SUCRE ET ALCOOL
1 g/l et 13,5 %

CODE SAQ
11383617

ACCORDS
Sortez le grand jeu en l'accompagnant d'un onctueux risotto aux champignons sauvages et à l'encre de seiche. Votre belle pliera probablement du genou avant la fin de la bouteille…

8 025022 005002

EAU-DE-VIE DE CERISES, TRUFFES, CUIR ET FRUITS À NOYAU.

Si vous me dites «Piémont», je vous dis «Turin» (où ont eu lieu les Jeux olympiques d'hiver de 2006) et je vous parle de succulentes pâtes, de délicieux vins rouges du Barolo et de Barbaresco, des collines vallonnées, des truffes blanches, de la tranquillité rurale… C'est probablement dans cette région que j'ai eu les plus grands frissons de dégustation. Pour vous en convaincre et y faire une balade par l'intermédiaire d'une bouteille, mettez la main sur un cru signé par Gianni Gagliardo, Angelo Gaja, Giorgio Pelissero, Pio Cesare ou Paolo Scavino, tous de «grosses pointures» dans cette région du nord-ouest de l'Italie. Les barolos sont quasi absents de ce guide à cause de leur prix élevé et de leurs disponibilités assez réduites dans le réseau. Mais voici, pour vous, une espèce de «bébé barolo» à prix plus que raisonnable.

Celui-ci ne renie pas ses origines ampélographiques ni son terroir, car ses arômes d'eau-de-vie de cerises, de truffes, de cuir et de fruits à noyau évoquent les grands rouges de cette superbe région. C'est frais, goûteux, tannique et de très bon goût en bouche. Un vin qui a du caractère et de la chair. La plupart des dégustateurs chevronnés gageront un «p'tit deux» sur un rouge piémontais en dégustation à l'anonymat, car il est fort représentatif de sa région et de son cépage. Les aficionados de Ménage à Trois, de Carnivor ou de petits pingouins resteront assurément sur leur soif…

DANS LA MÊME LIGNÉE :
Barbaresco
Castello di Neive 2013
CODE SAQ : 12466377
PRIX : 24,80 $

247

La Mère Grand Vignoble Le Loup Blanc 2012

26,⁸⁵ $

ORIGINE
Minervois - Languedoc-Roussillon - France

CÉPAGES
Grenache, carignan

À SERVIR À
16–17 °C

CARAFE
–

À BOIRE AVANT
2018–2019

SUCRE ET ALCOOL
1,8 g/l et 14 %

CODE SAQ
10528221

ACCORDS
Un vin du sud de la France si généreux et savoureux mérite un plat goûteux et copieux. Des viandes grillées sur le barbecue ou un osso buco de gros gibiers à poil feront une bien bonne union.

Dégustation avec les deux grands manitous du vin, Jacques Orhon et François Chartier.

3 760119 323014

TOP NOTCH !

On dit que l'amitié entre un chroniqueur vin et un vigneron peut nuire au jugement. Pourquoi je dis ça? Parce que Rochard et Farre, le dynamique duo franco-québécois qui produit ce vin dans le Minervois, en plein cœur du Languedoc-Roussillon, sont de bons amis à moi. Est-ce possible d'avoir une opinion objective malgré le lien amical? Si l'on juge le vin pour ce qu'il est, de façon totalement impartiale, je crois que oui! Ce 2012 de 4-5 ans d'âge est dans une forme quasi olympique! Il a du caractère, de la mâche, un profil méditerranéen et une certaine ossature. Il s'agit d'un assemblage de vignes de grenache, qui furent plantées au début des années 1970, et de vieux pieds de carignan de plus de 75 ans. Le résultat est *top notch*, car le vin est profond, très ouvert à l'olfactif et pas *too much in your face*. Il s'agit d'une bouteille en phase secondaire, qui possède une certaine évolution. Je vous conseillerais donc de lui tirer le bouchon dans les trois ans suivant son achat pour profiter pleinement de ses vertus. Et sachez que Rochard et Farre travaillent la vigne en culture biodynamique, dans le plus grand respect du terroir.

ROUGE

DANS LA MÊME LIGNÉE :
Si mon père savait...
Bernard Magrez 2013
CODE SAQ : 12518608
PRIX : 24,30 $

3 448940 002284

Château La Croix des Moines 2012

28,⁷⁵ $

ORIGINE
Lalande-de-Pomerol - Bordeaux - France

CÉPAGES
Merlot, cabernet franc, cabernet sauvignon

À SERVIR À
17 °C

CARAFE
-

À BOIRE AVANT
2019-2020

SUCRE ET ALCOOL
1,8 g/l et 13 %

CODE SAQ
00973057

ACCORDS
Allez-y pour un grand classique de la région d'Aquitaine en préparant une entrecôte à la bordelaise ! Cette symbiose mettra cette très bonne cuvée sur un piédestal.

DU BEAU BORDEAUX!

Si vous ne dépensez habituellement pas plus de 20-25 $ pour vous procurer une fiole de vin, sachez que vous n'êtes pas le seul: plus de trois bouteilles sur quatre vendues à la SAQ coûtent moins de 20 douilles. Par contre, de temps à autre, il vaut la peine de glisser la main un peu plus profondément dans sa poche pour augmenter l'émotion, le plaisir et l'excitation en dégustation. Pour un imprégnant et solide cabernet de la vallée de Napa, pour un multidimensionnel Châteauneuf-du-Pape de bonne mouture, pour un divin et méridional cru toscan qui vous fera frémir les papilles de bonheur, ou pour un délicieux rouge de la rive droite de Bordeaux, comme celui-ci. Des quilles à 30, 40 ou 50 $ qui sauront vous faire passer un mémorable moment à table, avec les gens qui vous sont chers.

Quelle est donc l'expression? Une main de fer dans un gant de velours, c'est ça? Ces mots lui vont très bien, à ce vin rouge fait d'un grand pourcentage de merlot! Agréablement parfumé, ses émanations rappellent les étuis à crayons de notre enfance. On y dénote aussi du cuir, du crayon de plomb et du fruit bien mûr. C'est savoureux, long en bouche et passablement tannique. Du «bo bordo»!

DANS LA MÊME LIGNÉE:
Château Treytins
2012
CODE SAQ: 00892406
PRIX: 26,20 $

Emilien Château le Puy 2011

29,⁵⁵ $

ORIGINE
Francs–Côtes–de–Bordeaux – Bordeaux – France

CÉPAGES
Merlot, cabernet sauvignon, carmenère

À SERVIR À
16 °C

CARAFE
-

À BOIRE AVANT
2020–2021

SUCRE ET ALCOOL
1,4 g/l et 13 %

CODE SAQ
00709469

ACCORDS
Comme ce n'est pas un viril, puissant et costaud gaillard aux épaules larges, il serait important de ne pas lui imposer une viande saignante ni trop relevée. Sortez la mijoteuse pour y cuire un filet de porc, du lapin ou un poulet en sauce tomate.

UNE DES PLUS AGRÉABLES BOUTEILLES QUE NOUS AVONS GOÛTÉES !

Voici un ciboulot de beau *vino* de Bordeaux ! Si vous êtes un mordu des vins de cette réputée région viticole, vous serez par contre quelque peu dérouté en dégustation… Pourquoi ? Parce que nous sommes à des « parcelles-lumière » des crus de la rive gauche dominée par le cabernet sauvignon, et même de la quasi-totalité des fioles de la rive droite en appellation Saint-Émilion, Fronsac ou Pomerol. De génération en génération, c'est la famille Amoreau qui tient les rênes du Château le Puy, et ce, depuis 1610. En plus de travailler en culture biodynamique, ils mettent en bouteille certaines cuvées sans le moindre ajout de soufre (sulfite). Donc, oui, leurs vins sont différents de presque tous les produits de la vaste région viticole de Bordeaux. Sont-ils bons ? Non, ils sont très bons !

Son profil friand, juteux et primaire n'est pas sans rappeler maintes cuvées jurassiennes ou même de divins flacons de Morgon, de Chiroubles ou du Moulin-à-Vent, dans le Beaujolais. Donc, il est assez atypique parmi les rouges bordelais, mais qu'importe, il est tout simplement délicieux ! C'est pur, archifrais, et la matière est digeste au plus haut point. Comme il a déjà 5 ans et qu'il est assez oxydatif, il serait important de boire la bouteille dans les 12 heures suivant son ouverture. Une des plus agréables bouteilles que nous ayons goûtées lors de la rédaction de ce livre !

ROUGE

DANS LA MÊME LIGNÉE :
Vieux Château Champs de Mars
2010
CODE SAQ : 10264860
PRIX : 23,55 $

Premier Cru Les Puillets Château Philippe-Le-Hardi 2012

30,⁷⁵ $

ORIGINE
Mercurey – Bourgogne – France

CÉPAGE
Pinot noir

À SERVIR À
16 °C

CARAFE
–

À BOIRE AVANT
2019–2020

SUCRE ET ALCOOL
3,6 g/l et 13 %

CODE SAQ
00869800

ACCORDS
Qui a dit qu'il faut toujours boire du blanc sur les poissons ? Certainement pas moi ! Faites un essai convaincant en servant ce rouge sur un filet de saumon ou sur une pièce de thon !

DE SÉDUISANTS PARFUMS DE FRAMBOISES ET DE CERISES.

Même si la plupart des grands restaurants du monde possèdent des fioles bourguignonnes sur leur carte des vins, il faut savoir que cette région viticole n'est pas tellement vaste. En effet, il y a un peu moins de 29 000 hectares de vignes plantées en sol bourguignon. Par comparaison, le Bordelais en possède 120 000, et les Côtes du Rhône, plus de 70 000. Donc, oui, la Bourgogne est petite, mais pas sa réputation ! La plupart des experts s'entendent pour dire que cette zone viticole produit parmi les plus grands vins du monde. Mais, comme partout ailleurs, il y a du bon et du moins bon. Ne vous fiez donc pas seulement à l'appellation, mais plutôt à la personne qui signe la bouteille. C'est primordial, car certains font du vin avec amour, passion et conviction, mais d'autres peuvent tout simplement s'asseoir sur la réputation de l'appellation...

Quand on met 30 ou 40 douilles sur une quille de pinard, on en veut pour son argent et c'est tout à fait normal ! Celui que je salue ici en vaut le prix ! À moins d'être un mordu des « gros rouges qui tachent », vous serez séduit par ce tendre, fin et tout en dentelle Bourgogne Premier Cru. Ses séduisants parfums de framboises et de cerises broyées invitent à le prendre en bouche, et pas à peu près ! C'est frais, coulant, digeste au possible, et tout en velours. Il sera certainement difficile de résister à seulement un verre, car le premier en appelle vite un autre !

ROUGE

DANS LA MÊME LIGNÉE :
Pinot Noir Schug 2014
CODE SAQ : 10944232
PRIX : 30,00 $

Château Garraud 2011

32,²⁵ $

ORIGINE
Lalande-de-Pomerol – Bordeaux – France

CÉPAGES
Merlot, cabernet franc, cabernet sauvignon

À SERVIR À
17 °C

CARAFE
-

À BOIRE AVANT
2022-2023

SUCRE ET ALCOOL
1,7 g/l et 14,5 %

CODE SAQ
00978072

ACCORDS
Faites mouche en jumelant ce délicieux Lalande-de-Pomerol avec des tournedos de bœuf saignants à la Rossini ou avec quelques gnocchis en sauce tomate !

3 391262 012014

UNE BELLE SÈVE!

Les millésimes 2011 et 2001 souffrent tous les deux de la spéculation engendrée par les deux millésimes qui les ont immédiatement précédés. L'effet «nouveau millénaire» avait fait gonfler la popularité de la cueillette de l'an 2000 (même si le nouveau millénaire est arrivé en 2001!), et les médias avaient grandement louangé cette récolte qui pourtant ne fut pas la meilleure… La 2001 est selon moi supérieure d'un cran en terroir bordelais. Même son de cloche pour 2011: cette année-là est passée dans l'ombre du monumental millésime 2010, année d'anthologie, et ce, dans presque toutes les régions viticoles européennes. Ne levez donc pas le nez sur les 2011, car Mère Nature a été très généreuse cette année-là, et ce, autant à Bordeaux qu'en sol bourguignon.

Voici justement un ciboulot de bon rouge de la rive droite de Bordeaux, du millésime 2011! Charnu et velouté à la fois, il est goûteux, tannique, viril, et une belle sève est présente. Ne le servez pas à plus de 17-18 °C, sinon il deviendrait lourdaud, massif et tristement encombrant. À l'inverse, si vous le serviez trop froid, vous «durciriez» les tanins et ce ne serait vraiment pas agréable en bouche.

ROUGE

DANS LA MÊME LIGNÉE:
Château Gaillard
2011
CODE SAQ: 00919316
PRIX: 31,50 $

Robert Mondavi 2012

35,⁰⁰ $

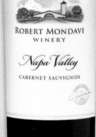

ORIGINE
Vallée de Napa – Californie – États-Unis

CÉPAGES
Cabernet sauvignon, merlot, cabernet franc

À SERVIR À
16–17 °C

CARAFE
–

À BOIRE AVANT
2021–2022

SUCRE ET ALCOOL
0,8 g/l et 14,5 %

CODE SAQ
00255513

ACCORDS
Une pièce de filet mignon de cerf, de bœuf, d'orignal ou de veau, une purée de légumes-racines et une «forêt complète» de chanterelles sautées au beurre, et ce rouge californien vous ferait passer une soirée que vos papilles n'oublieraient pas de sitôt.

0 086003 051843

GOURMAND GAILLARD DU GOLDEN STATE.

Il y a tout un écart de plaisir entre la gamme Woodbridge ou même Private Selection, et la gamme éponyme Mondavi, du célèbre domaine américain. Pour mieux connaître une maison, il est important de déguster autre chose que les produits issus de raisins achetés à divers producteurs. La gamme Mondavi et la célèbre lignée des Robert Mondavi Winery Reserve accrocheront vite un sourire sur le visage du plus fin dégustateur. La maison garde une élégante et distinctive signature européenne, et ce, spécialement dans ce qu'elle fait de mieux, le cabernet-sauvignon. Si vous désirez vous gâter solidement et mettre 100 huards de plus pour une bouteille, misez sur le divin et combien épanoui Cabernet Sauvignon Reserve à 138 «douleurs», qui arrive au compte-gouttes sur nos tablettes. Un vin superbe qui pourra faire la barbe à bien des crus classés du Haut-Médoc, en terroir bordelais.

Celui que je salue ici est en plein le genre de rouge que j'aime ouvrir un samedi soir en famille, entre amis ou en amoureux! Le nez est intensément parfumé et la bouche possède des saveurs plaisantes et affirmées. Fruits noirs, mûres, cassis, grenadine, mine de crayon, légères notes de bois neuf… Bref, c'est bon dans la bouche, il y a du détail et du relief! Ce gourmand gaillard de la célèbre vallée de l'Abondance (Napa Valley) possède une belle «sève», des tanins tissés serré ainsi qu'une bonne dose de fraîcheur en fin de bouche. Du «beau jus» du Golden State!

ROUGE

DANS LA MÊME LIGNÉE:
**Cabernet Sauvignon
Knights Valley
Beringer 2013**
CODE SAQ: 00352583
PRIX: 37,50$

0 089819 003471

Cuvée Tradition Château de la Gardine 2011

37,⁵⁰ $

ORIGINE
Châteauneuf-du-Pape - Rhône - France

CÉPAGES
Grenache, mourvèdre, syrah, muscardin

À SERVIR À
16–17 °C

CARAFE
-

À BOIRE AVANT
2024–2025

SUCRE ET ALCOOL
2,8 g/l et 13,5 %

CODE SAQ
00022889

ACCORDS
Les chasseurs et chasseuses de gros gibiers à poil feront des agencements formidables à table avec ce goûteux rouge de la vallée du Rhône. Une côte de cerf, un ragoût de caribou, une fondue de cubes d'orignal…

3 552510 012006

BOURRÉ DE FRUIT ET DE SAVEURS MÉRIDIONALES.

Avec ses 3 200 hectares de vignes plantées, Châteauneuf-du-Pape est une des plus vastes appellations d'origine de toute la France. Vous comprendrez que les plus minutieux producteurs côtoient souvent les moins rigoureux. Donc, il y a du bon et du moins bon dans cette mondialement reconnue région viticole méridionale des Côtes du Rhône. D'où vient le nom Châteauneuf-du-Pape? Sur ordre du pape Jean XXII, on construisit au XIVe siècle, à Châteauneuf, un château qui servit de lieu de villégiature des papes. Mais ce n'est qu'en 1893 qu'on nomma le village «Châteauneuf-du-Pape», pour faire référence à ce fait de l'histoire. Au cours des différentes guerres, le monument historique a été pillé et incendié à plusieurs reprises, puis, vers la fin de la Seconde Guerre mondiale, en août 1944, les Allemands l'ont pratiquement anéanti. De nos jours, il reste seulement une partie du donjon du superbe château. C'est à visiter. Le panorama, de là-haut, est tout simplement spectaculaire!

La famille Brunel vinifie avec brio ce savoureux Châteauneuf, offert sur notre marché depuis des lunes. Ce 2011 passe peut-être quelque peu à l'ombre de la récolte française d'anthologie de 2010, mais, croyez-moi, rien ne fait défaut et le vin est dans une forme quasi olympique! Une belle concentration est au rendez-vous, le vin a de l'étoffe, et une structure présente mais pas imposante. Bourré de fruit et de saveurs méridionales, il fera sourire plus d'un dégustateur. Votre attente serait récompensée si vous aviez la patience de l'allonger en paix dans votre cachette personnelle pendant quelques années.

ROUGE

DANS LA MÊME LIGNÉE:
Domaine du Vieux Lazaret
Jérôme Quiot 2012
CODE SAQ: 11808822
PRIX: 37,00$

TOP 10

VINS POUR LES MARIAGES ET AUTRES RÉCEPTIONS

Que ce soit pour un mariage, un brunch, un méchoui ou un baptême, ces moments de plaisir, de rassemblement et de bonheur méritent d'être «arrosés» avec des vins qui feront sourire et non grimacer les convives. Voici donc les 10 vins — six rouges (R) et quatre blancs (B) —, de 10 à 14 $ la quille, qui ne vous feront pas honte devant «la visite»! Mais avant d'en acheter 5 ou 10 caisses rapido, je vous propose de vous procurer un flacon de chacune de ces suggestions et d'y goûter en famille pour identifier votre vin préféré, mais aussi celui qui fera le mieux honneur au menu servi lors de cette réception.

Terre à Terre (R)
Jean-Noël Bousquet 2015
Languedoc-Roussillon, France
CODE SAQ : 11374391
PRIX : 10,75 $

3 564732 005094

Campobarro (R)
San Marcos 2014
Extremadura, Espagne
CODE SAQ : 10357994
PRIX : 10,85 $

8 414756 010022

Syrah Araucano François Lurton (R)
2014
Vallée de Lolol, Chili
CODE SAQ : 11975073
PRIX : 11,00 $

0 635335 382011

The Pavillion (B)
Boschendal 2015
Coastal Region, Afrique du Sud
CODE SAQ : 12698944
PRIX : 11,55 $

6 001660 004463

Coto de Hayas (R)
Bodegas Aragonesas 2014
Aragon, Espagne
CODE SAQ : 12525111
PRIX : 11,60 $

8 411528 001042

Pathos (B)
Tsantali 2014
Péloponnèse, Grèce
CODE SAQ : 12700354
PRIX : 11,70 $

5 201021 764086

Albis (B)
José Maria da Fonseca 2014
Péninsule de Setubal, Portugal
CODE SAQ : 00319905
PRIX : 12,95 $

0 600470 120002

Domaine de Moulines (R)
2014
Languedoc-Roussillon, France
CODE SAQ : 00620617
PRIX : 12,95 $

3 760067 771011

Coroa d'Ouro (B)
Poças 2015
Douro, Portugal
CODE SAQ : 00412338
PRIX : 13,85 $

5 601085 900060

Clos Bagatelle (R)
2015
Languedoc-Roussillon, France
CODE SAQ : 12824998
PRIX : 13,95 $

0 659264 115489

VINS ROSÉS

La consommation de ce type de vin, ni blanc ni rouge, a augmenté de façon assez incroyable ces dernières années au Québec. Annuellement, les rosés représentent *grosso modo* 4 % du volume des vins vendus à la SAQ. Sans compter les milliers de litres de rosé écoulés par l'intermédiaire de l'importation privée. Il y a 10 ou 15 ans, il y en avait moins d'une vingtaine sur les tablettes, mais aujourd'hui la SAQ en propose 150. Nous les servons beaucoup moins froids qu'auparavant et nous savons mieux sur quels types d'aliments les servir. De la cinquantaine de rosés que Mathieu et moi avons eu le plaisir de déguster cette année, nous en suggérons 10 qui nous ont fait sourire. Servez-les autour de 10-11 °C.

**Domaine de Gournier
2014**
Languedoc-Roussillon, France
CODE SAQ : 00464602
PRIX : 12,95 $

3 495860 911233

**Pinot Grigio Rosé Simboli
La Vis 2014**
Vénétie, Italie
CODE SAQ : 12667911
PRIX : 14,05 $

8 006031 071806

**Château Bellevue la Forêt
2015**
Sud-Ouest, France
CODE SAQ : 00219840
PRIX : 15,95 $

3 461730 000017

**Champs de Florence
Domaine du Ridge 2015**
Québec, Canada
CODE SAQ : 00741702
PRIX : 15,95 $

0 827924 037048

Le Pive Gris
Vignobles Jeanjean 2015
Languedoc-Roussillon, France
CODE SAQ : 11372766
PRIX : 16,50 $

Pétale de Rose
Régine Sumeire 2015
Provence, France
CODE SAQ : 00425496
PRIX : 20,95 $

Vin Gris de Cigare
Bonny Doon 2015
Californie, États-Unis
CODE SAQ : 10262979
PRIX : 22,75 $

Coste Delle Plaie
Podere Castorani 2014
Abruzzes, Italie
CODE SAQ : 11904355
PRIX : 22,75 $

Miraval
Famille Perrin 2015
Provence, France
CODE SAQ : 12296988
PRIX : 24,95 $

Whispering Angel
Château d'Esclans 2015
Provence, France
CODE SAQ : 11416984
PRIX : 25,50 $

VINS MOUSSEUX

La tête vous tourne-t-elle quand vous essayez de dénicher un bon mousseux de 15 à 30$? C'est normal, puisqu'il y a une solide sélection de vins effervescents sur notre marché. Des sucrés, des pâteux, des énergiques, des maigrichons, des vibrants... Il y en a pour toutes les papilles! C'est donc à vous de trouver chaussure à votre «nez»; c'est votre palais qui décidera quel mousseux sera votre préféré! De mon côté, je les aime *al dente*, de bonne vigueur, digestes et salivants. En dégustation à l'anonymat, certains de nos 10 candidats font un solide pied de nez à bien des bulles champenoises... En conclusion, il vaut pas mal mieux boire un bon mousseux qu'un mauvais champagne!

Hungaria Grande Cuvée Brut
Hungarovin
Hongrie
CODE SAQ : 00106492
PRIX : 13,95 $

Elyssia Gran Cuvée Brut
Freixenet
Catalogne, Espagne
CODE SAQ : 11912494
PRIX : 19,95 $

Cuvée Expression Brut
Antech 2013
Languedoc-Roussillon, France
CODE SAQ : 10666084
PRIX : 20,20 $

Cuvée Prédilection Brut
Château Moncontour
Loire, France
CODE SAQ : 00430751
PRIX : 20,95 $

Nino Franco Brut
Nino Franco
Vénétie, Italie
CODE SAQ : 00349662
PRIX : 22,45 $

Crede
Bisol 2014
Vénétie, Italie
CODE SAQ : 10839168
PRIX : 22,65 $

Perle Rare
Louis Bouillot 2012
Bourgogne, France
CODE SAQ : 00884379
PRIX : 22,95 $

Reserva de la Familia Brut Nature
Juvé y Camps 2011
Catalogne, Espagne
CODE SAQ : 10654948
PRIX : 23,55 $

Blanc de Blancs Brut
Vitteaut-Alberti
Bourgogne, France
CODE SAQ : 12100308
PRIX : 25,40 $

Berthelot-Paradis Rosé Brut
Domaine du Ridge
Québec, Canada
CODE SAQ : 12756411
PRIX : 33,25 $

CHAMPAGNES

On adore le champagne, car il est synonyme de naissance, de diplôme, de mariage, d'augmentation de salaire, de promotion, d'amour, de fête... On l'aime aussi parce qu'il fait gaiement briller les yeux des dames, comme dirait le grand Jacques Orhon! Le festif pop!, résonne très bien dans nos oreilles et sait mettre la table en début de soirée, ou pendant la soirée, et souvent en fin de soirée... Miam! vive le champagne, le «vrai» et le «bon»! Donc, si, tout comme moi, vous n'aimez pas jeter 50, 60 ou même 70$ par les fenêtres pour une quille champenoise sans grandes vertus, fiez-vous aux 10 champagnes présentés ici!

Cuvée Léonie Brut
Canard-Duchêne
Champagne
CODE SAQ: 11154700
PRIX: 47,50$

Brut Réserve
Nicolas Feuillatte
Champagne
CODE SAQ: 00578187
PRIX: 48,50$

Premier Cru Brut Rosé
Forget-Brimont
Champagne
CODE SAQ: 10845883
PRIX: 51,75$

Blanc de Noirs Brut
Devaux
Champagne
CODE SAQ: 11588381
PRIX: 52,50$

Fleur de l'Europe Brut Nature
Fleury
Champagne
CODE SAQ : 12669641
PRIX : 53,25 $

Brut Majeur
Ayala
Champagne
CODE SAQ : 11553137
PRIX : 56,25 $

Brut Réserve
Billecart-Salmon
Champagne
CODE SAQ : 10653347
PRIX : 60,25 $

Réserve Brut
Pol Roger
Champagne
CODE SAQ : 00051953
PRIX : 61,50 $

Premier Cru Terre de Vertus
Larmandier-Bernier 2010
Champagne
CODE SAQ : 11528011
PRIX : 78,00 $

Tradition Grand Cru Brut
Egly-Ouriet
Champagne
CODE SAQ : 11538025
PRIX : 97,50 $

VINS DE GARDE

Aimeriez-vous allonger quelques flacons aptes à faire une sieste de 5, 10 ou 15 ans dans votre «réserve secrète», au sous-sol ou ailleurs, à l'abri de la lumière et à la fraîcheur? On se demande souvent quel type de vin acheter pour la garde, et ce, sans avoir à débourser 100 ou 150 douilles pour un «grand cru». Voici d'excellentes fioles qui n'auront pas peur de somnoler dans la noirceur de votre caverne d'Ali Baba pour les prochaines années... Évitez la lumière, les brusques changements de température, les mauvaises odeurs, les vibrations, l'air ambiant trop sec... Mettez toutes les chances de votre côté et ces 10 bouteilles vous le rendront bien dans le futur!

Malbec
Catena 2014
Mendoza, Argentine
CODE SAQ : 00478727
PRIX : 21,95 $

Château de Haute-Serre
Georges Vigouroux 2011
Sud-Ouest, France
CODE SAQ : 00947184
PRIX : 26,00 $

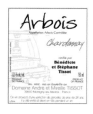

Chardonnay
Domaine André et Mireille Tissot 2014
Jura, France
CODE SAQ : 11194701
PRIX : 28,70 $

Château Montus
Alain Brumont 2011
Sud-Ouest, France
CODE SAQ : 00705483
PRIX : 30,25 $

Chablis Premier Cru
Les Fourchaumes
Domaine Laroche 2012
Bourgogne, France
CODE SAQ : 12794477
PRIX : 38,75 $

Châteauneuf-du-Pape
Domaine de Nalys 2013
Rhône, France
CODE SAQ : 11095834
PRIX : 40,25 $

Amarone Costasera
Masi 2011
Vénétie, Italie
CODE SAQ : 00317057
PRIX : 42,25 $

Priorat Les Terrasses
Alvaro Palacios 2014
Catalogne, Espagne
CODE SAQ : 12853115
PRIX : 48,00 $

Barolo
Paolo Scavino 2011
Piémont, Italie
CODE SAQ : 12533525
PRIX : 51,00 $

Chateauneuf-du-Pape
Château de Beaucastel 2012
Rhône, France
CODE SAQ : 11729833
PRIX : 90,50 $

VINS BLANCS À OFFRIR EN CADEAU

Ciboulot que l'on se gratte le coco quand vient le temps d'acheter une bouteille pour un ami qui apprécie le bon vin ! Va-t-il l'aimer ? Est-ce son genre de produit ? A-t-il déjà cette cuvée dans sa cave bien remplie ? Eh bien, surprenez-le avec un des crus que nous avons soigneusement sélectionnés pour le bonheur de ses papilles. La liste que nous avons dressée ne comporte que des vins blancs de plus de 25 $. Ils sont un peu plus rares et bien sûr pas offerts dans toutes les succursales de la province. Fouillez sur SAQ.com pour ne pas vous déplacer pour rien. Si vous préférez offrir de bons rouges en cadeau, rendez-vous à la page suivante de ce guide, les amis !

Fransola
Torres 2012
Catalogne, Espagne
CODE SAQ : 12032683
PRIX : 27,65 $

Natoma
Easton 2013
Californie, États-Unis
CODE SAQ : 00882571
PRIX : 28,05 $

Riesling Rosacker Grand Cru
Cave d'Hunawihr 2014
Alsace, France
CODE SAQ : 00642553
PRIX : 28,25 $

Grüner Veltliner Heiligenstein
Hirsch 2014
Kamptal, Autriche
CODE SAQ : 11695055
PRIX : 29,10 $

Clos de Guichaux
Domaine Guiberteau 2013
Loire, France
CODE SAQ : 11461099
PRIX : 29,65 $

Riesling
Domaine Marcel Deiss 2014
Alsace, France
CODE SAQ : 11777392
PRIX : 32,50 $

Chenin Blanc
De Trafford 2014
Stellenbosch, Afrique du Sud
CODE SAQ : 11659273
PRIX : 33,00 $

Sancerre
Domaine Vacheron 2014
Loire, France
CODE SAQ : 10523892
PRIX : 36,25 $

Chablis Premier Cru
Montée de Tonnerre
Château de Maligny 2015
Bourgogne, France
CODE SAQ : 00895110
PRIX : 36,50 $

Condrieu
E. Guigal 2014
Rhône, France
CODE SAQ : 12585894
PRIX : 71,00 $

VINS ROUGES À OFFRIR EN CADEAU

Nous connaissons tous des êtres chers qui se passionnent pour les jus de raisin fermentés. Un oncle accro qui a reçu une formation dans le domaine du vin, un cousin qui possède une réserve bien garnie, une sœur ou une tante qui voyage à travers les parcelles de la planète vin... On se demande toujours quoi acheter à ces épicuriens, aux curieux, aux gourmands et aux autres amoureux de la vie et du vin! Voici donc, pour eux, des crus plus rares, un peu plus haut de gamme, souvent élaborés par de plus petits producteurs. Ils coûtent tous plus de 30 $, mais ils feront le bonheur des personnes qui vont les recevoir. Du beau *vino tinto*, pas gênant pour un sou!

Zinfandel
Seghesio 2013
Californie, États-Unis
CODE SAQ : 12297446
PRIX : 31,00 $

Ripasso Bosan
Gerardo Cesari 2013
Vénétie, Italie
CODE SAQ : 11355886
PRIX : 32,50 $

Marsannay
Marchand-Tawse 2012
Bourgogne, France
CODE SAQ : 12857159
PRIX : 38,25 $

Les Remparts de Ferrière
Château Ferrière 2011
Bordeaux, France
CODE SAQ : 12194463
PRIX : 40,75 $

Brunello di Montalcino
CastelGiocondo 2011
Toscane, Italie
CODE SAQ : 10875185
PRIX : 50,00 $

Cabernet Sauvignon Bin 407
Penfolds 2013
Australie
CODE SAQ : 12126891
PRIX : 55,25 $

Mas La Plana
Torres 2010
Catalogne, Espagne
CODE SAQ : 12663282
PRIX : 60,00 $

Pinot Noir
Marimar Torres 2013
Californie, États-Unis
CODE SAQ : 11339886
PRIX : 60,25 $

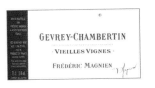

Gevrey-Chambertin Vieilles Vignes
Frédéric Magnien 2012
Bourgogne, France
CODE SAQ : 12042574
PRIX : 61,75 $

Barolo Dagromis
Gaja 2011
Piémont, Italie
CODE SAQ : 11212501
PRIX : 86,75 $

VINS DU QUÉBEC

Arrivons au XXIe siècle, les amis. De nombreux vignerons de chez nous mettent des cuvées géniales en bouteille ! D'ailleurs, plusieurs vins québécois déculottent bien des fioles du Vieux Continent... De nombreux blancs secs, certains rouges, beaucoup de rosés, mousseux et vins liquoreux de la Belle Province m'ont fait plier du genou au cours de la dernière décennie. Il reste que, quand c'est bon de la sorte, les quantités ne sont pas énormes, puisque la production est souvent anecdotique. Il faut avoir l'œil, le pif, et être rapide ! Nous vous proposons donc 10 vins d'ici qui méritent amplement d'être dégustés. Non, nous ne sommes pas seulement la province du ski-doo et du sirop d'érable !

Clos du Maréchal
Domaine du Ridge 2015
Québec
CODE SAQ : 10220373
PRIX : 15,95 $

Cuvée William Blanc
Vignoble de la Rivière du Chêne 2015
Québec
CODE SAQ : 00744169
PRIX : 16,05 $

L'Orpailleur Blanc
Vignoble de l'Orpailleur 2015
Québec
CODE SAQ : 00704221
PRIX : 16,35 $

Classique Blanc
Domaine St-Jacques 2015
Québec
CODE SAQ : 11506120
PRIX : 16,35 $

Vidal du Ridge
Domaine du Ridge 2014
Québec
CODE SAQ : 11679135
PRIX : 16,90 $

La Couronne Boréale
Domaine des Météores 2014
Québec
CODE SAQ : N/D
PRIX : 22,00 $
CODE CUP : N/D

Le Frontenac Noir
Domaine des Météores 2014
Québec
CODE SAQ : N/D
PRIX : 22,00 $
CODE CUP : N/D

Chardonnay La Côte
Coteau Rougemont 2014
Québec
CODE SAQ : N/D
PRIX : 24,00 $
CODE CUP : N/D

Vidal Réserve
Coteau Rougemont 2014
Québec
CODE SAQ : 12862951
PRIX : 24,10 $

Pinot Noir
Domaine St-Jacques 2014
Québec
CODE SAQ : N/D
PRIX : 26,75 $
CODE CUP : N/D

TOP 10

CIDRES ET POIRÉS DU QUÉBEC

Je suis loin d'être le seul chroniqueur qui vous le dira : la qualité de certains cidres du Québec est tout simplement époustouflante ! Qu'ils soient mousseux, rosés, secs, demi-secs, moelleux ou liquoreux (vous savez, les superbes cidres de glace !), il y a du bon et du très bon aux quatre coins de la province. Depuis une vingtaine d'années, nos cidres ont connu une ascension assez fulgurante merci ! Et que dire des nombreux alcools de poire (poirés), pour le moins épatants, qui sont offerts depuis six ou sept ans ? Mettez de la couleur dans votre pique-nique, à l'apéro sur la terrasse, sur une assiette de fromages ou un dessert, en servant ce type de produit qui nous rend de plus en plus fiers d'être québécois !

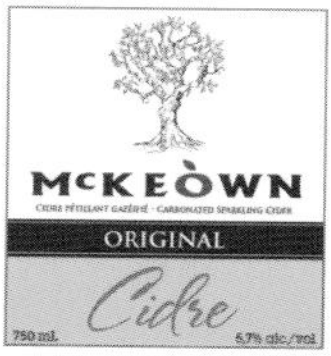

Original, Cidre Pétillant
McKeown
Québec
CODE SAQ : 10951571
PRIX : 8,85 $
0 841125 072127

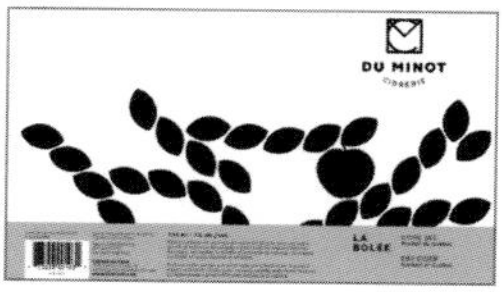

La Bolée du Minot Réserve, Cidre Sec
Cidrerie du Minot
Québec
CODE SAQ : 00511956
PRIX : 12,00 $
0 773253 001031

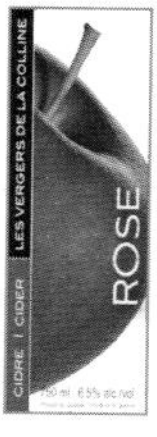

Cuvée Rose, Cidre Rosé
Les Vergers de la Colline
Québec
CODE SAQ : 11082283
PRIX : 13,65 $
0 841125 071168

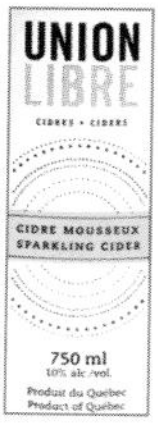

Cidre Mousseux
Union Libre 2013
Québec
CODE SAQ : 12641948
PRIX : 18,80 $
0 841125 072684

Poiré Mousseux
Entre Pierre & Terre
Québec
CODE SAQ : 12120579
PRIX : 19,95 $

0 627843 195443

Cidre de Glace
Les Vergers Lafrance
Québec
CODE SAQ : 00733600
PRIX : 22,05 $

0 841125 075029

Poiré de Glace
Coteau Rougemont 2014
Québec
CODE SAQ : 11957158
PRIX : 22,65 $

0 859670 001615

Cidre de Glace
Domaine Leduc–Piedimonte 2010
Québec
CODE SAQ : 10472482
PRIX : 26,85 $

0 841125 075319

Avalanche, Cidre de Glace
Clos Saragnat 2012
Québec
CODE SAQ : 11133221
PRIX : 27,45 $

0 627843 005391

Neige Noir, Ambre du Québec
La Face Cachée de la Pomme 2010
Québec
CODE SAQ : 11401926
PRIX : 60,00 $

0 841125 079072

VINS DEMI-SECS, MOELLEUX OU LIQUOREUX

Cherchez-vous un vin sucré pour une belle symbiose avec un dessert, une assiette de fromages, du foie gras? Nous ne sommes pas les plus grandes «bibittes à sucre» et ce n'est pas toutes les semaines que nous ouvrons un vin moelleux ou liquoreux à la maison, mais, quand j'en sers un, j'aime qu'il soit impeccable! Alors, si vous désirez dénicher une vendange tardive, un vin muté, une sélection de grains nobles ou un vin de glace qui ne vous laisseront pas sur votre soif, vous êtes vraiment à la bonne adresse, précieux lecteurs! Certaines des fioles sont aptes à faire un «dodo» de quelques années dans votre cellier ou votre cave.

Fino en Rama
Alvear 2008
Andalousie, Espagne
CODE SAQ: 12717869
PRIX: 13,65$

0 766238 128786

Sauvignon Blanc Late Harvest
Viña Errazuriz 2014
Vallée de Casablanca, Chili
CODE SAQ: 00519850
PRIX: 14,65$

0 608057 000037

Tío Pepe Extra Dry
González Byass
Andalousie, Espagne
CODE SAQ: 00242669
PRIX: 18,75$

8 410023 000031

Premières Grives
Domaine du Tariquet 2015
Sud-Ouest, France
CODE SAQ: 00561274
PRIX: 19,95$

3 359880 100025

 TOP 10

Cuvée Parcé Frères
Domaine de La Rectorie 2014
Languedoc-Roussillon, France
CODE SAQ : 10322661
PRIX : 24,70 $

Cuvée Jean
Château Jolys 2013
Sud-Ouest, France
CODE SAQ : 00913970
PRIX : 24,75 $

La Cuvée Glacée des Laurentides
Vendanges Tardives
Vignoble Rivière du Chêne 2013
Québec, Canada
CODE SAQ : 00735001
PRIX : 29,90 $

Late Bottled Vintage
Smith Woodhouse 2002
Douro, Portugal
CODE SAQ : 00743781
PRIX : 36,75 $

Riesling Icewine
Stratus 2013
Ontario, Canada
CODE SAQ : 10856937
PRIX : 41,75 $

Tawny 20 ans
Taylor Fladgate
Douro, Portugal
CODE SAQ : 00149047
PRIX : 69,75 $

INDEX

BLANC

L'Orpailleur Blanc • Vignoble de l'Orpailleur 2015, 276

La Couronne Boréale • Domaine des Météores 2014, 277

La Gascogne d'Alain Brumont • Vignobles Brumont 2015, 21

La Segreta • Planeta 2014, 57

La Sereine • La Chablisienne 2015, 79

Las Brisas • Bodegas Naia 2014, 31

Léon Beyer • 2013, 72

Les Champs Royaux • William Fèvre 2014, 74

Les vignes retrouvées • Plaimont 2014, 20

Louis Latour • 2014, 60

Moschofilero Mantinia • Domaine Tselepos 2014, 69

Natoma • Easton 2013, 272

New Harbor • 2014, 44

Ormarine, Les Pins de Camille • Jeanjean 2015, 28

Passo Blanco 2014 • Masi, 35

Pathos • Tsantali 2014, 11, 18, 263

Piedra Negra • François Lurton 2016, 38

Pinot Blanc Five Vineyards • Mission Hill 2014, 43

Pinot Grigio Lumina • Ruffino 2014, 23

Pinot Grigio Montalto • Mondo del Vino 2015, 19

Pinot Gris • A to Z 2014, 73

Quails' Gate • 2015, 64

Réserve Willm • 2015, 58

Riesling • Domaine Marcel Deiss 2014, 273

Riesling Réserve • Léon Beyer 2014, 59

S. de La Sablette • Marcel Martin 2015, 16

Saint-Martin • Domaine Laroche 2015, 78

San Vincenzo • Anselmi 2015, 49

Sancerre • Domaine Vacheron 2014, 273

The Pavillion • Boschendal 2015, 11, 14, 262

Unoaked Chardonnay • Château des Charmes 2013, 27

Verdejo • Comenge 2015, 47

Vidal du Ridge • Domaine du Ridge 2014, 41, 277

Vidal Réserve • Coteau Rougemont 2014, 277

Viognier Cazal Viel • Henri Miquel 2014, 51

Viognier The Y series • Yalumba 2014, 39

ROUGE

7 Deadly Zins • Michael David, 245

Allegrini • 2014, 128

Alma Negra • A. Bartholomaus & E. Catena 2013, 163

Amarone Costacera • Masi 2011, 271

Arele • Tommasi 2013, 143

Artazuri • 2014, 11, 130

Barbaresco • Castello di Neive 2013, 247

Barolo Dagromis • Gaja 2011, 275

Barolo Paolo Scavino • 201, 271

Bergerie de l'Hortus Classique • Domaine de l'Hortus 2014, 177

Blau • Cellers Can Blau 2014, 194

Blés • Aranleon 2013, 11, 118

Borsao Crianza • 2012, 120

Bosan Ripasso • Gerardo Cesari 2013, 274

Bourgogne Joseph Faiveley 2014, 233

Bourgogne Les Ursulines • Jean-Claude Boisset 2014, 241

Brolio • Barone Ricasoli 2013, 238

Brolo Campofiorin Oro • Masi 2008, 229

Bronzinelle • Château Saint-Martin de la Garrigue 2013, 11, 166

Brunello di Montalcino • CastelGiocondo 2011, 275

Cabernet Sauvignon • Bodegas Catena Zapata 2014, 165

Cabernet Sauvignon Bin 407 • Penfolds 2013, 275

Cabernet Sauvignon Château St-Jean 2013, 149

Cabernet Sauvignon Cousiño-Macul 2014, 157

Cabernet Sauvignon Knights Valley • Beringer 2013, 259

REMERCIEMENTS

Pour être franc avec vous, nous aurions besoin de quatre ou cinq pages de plus pour saluer et remercier tous les gens qui nous ont généreusement aidés au cours des dernières années sur ce projet, entre autres. Si les amis et la famille, c'est la richesse, alors Bill Gates et Donald Trump ont de la concurrence en ciboulot ! Merci à ceux et à celles qui se reconnaissent ici. Je lève très haut mon verre pour louanger votre aide précieuse !

Cette aventure est rendue possible en grande partie grâce à la super *gang* des Éditions de l'Homme, avec qui nous travaillons depuis le début. Merci aux patrons, à toute l'équipe de rédaction et de promotion ! Il est rarement compliqué et toujours et encore fort agréable, ce partenariat qui nous unit depuis toutes ces années.

Merci aux agents, aux vignerons et aux cidreries pour les nombreux échantillons que nous avons dégustés pendant le marathon de dégustation et de rédaction de la cuvée 2017 ! Sur les 1500 produits reçus, nous en avons retenu 300, la crème, selon nous. Toutes vos bouteilles ont été ouvertes et dégustées de façon sérieuse et analytique, avec l'aide du sommelier Mathieu Saint-Amour. Celui-ci mérite une mention spéciale, car son sérieux, sa sobriété, sa modestie, son bon jugement et son «museau» aiguisé au quart de tour sont irremplaçables. Merci, Mat, du temps que tu accordes au projet, et ce, six ou sept mois par année, dans le labo de Québec.

L'équipe du *Lapeyrie* a la chance de compter sur un autre top collaborateur. Je salue le boulot minutieux du brillant Mario Landry, toujours à l'affût. Directeur des ressources humaines du cégep de Rivière-du-Loup (mais, d'abord et avant tout, un «môzusse» de bon *chum* !), Mario scrute tout à loupe, quatre ou cinq fois plutôt que trois ! Ce bon père de famille a les valeurs à la bonne place. Depuis quelques années, il nous épaule fidèlement dans presque tous nos projets. Je remercie Bacchus d'avoir mis sur mon chemin un être gentil comme lui !

Il y aussi la brillante et souriante Sonia Gagnon qui mérite des mercis à l'infini! Elle et son oreille attentive ne sont jamais loin quand nous en avons besoin. Chapeau bas, super agente que j'aime!

Que serais-je sans ma maman, Michèle, ma sœur Édith, ses deux adorables filles, ma belle-famille en «terroir» beauceron, la famille Lapeyrie de la grande région de Montréal et tous ces cousins, cousines, oncles, tantes et grands-parents en Corse? Vous m'acceptez comme je suis, sans jamais porter de jugement. Merci de faire partie de ma vie. Je vous aime aussi!

J'adore mon boulot de chroniqueur *vino* et tous mes collègues de travail! En fait, il n'y a pas une personne travaillant à TVA, au *Journal de Québec*, à l'École hôtelière de la Capitale, à radio Énergie ou à Rouge FM, avec qui je ne prendrais pas un verre de vin en ricanant! Œuvrer dans les médias et dans l'enseignement, c'est juste du bonheur, et je suis extrêmement conscient de la chance que j'ai de gagner ma vie de la sorte. Merci, les *amigos*!

Le fier papa de deux fistons que je suis dit également un gros merci à Thomas et Théodore, qui sont une source de motivation et d'inspiration exceptionnelle! Leurs sourires, leur vigueur, leur énergie, leur joie de vivre et la brillance de leurs yeux azur font de moi un père heureux, épanoui, fier et bourré de quiétude.

Ont-ils une maman, ces deux champions de un an et demi et de six ans? Bien sûr que oui! C'est celle qui m'endure depuis maintenant 15 ans! Beau temps, mauvais temps, elle est là, à nos côtés. C'est une maman beauceronne belle à croquer! Une fille vachement amoureuse de son métier, de sa famille, et fort sensible aux choses les plus simples de la vie, qui sont de toute façon les plus vraies. Merci, Pascale Labrecque, pour ta compassion, ta douceur, ta générosité, ton réconfort, et pour cette dose d'amour incalculable que tu nous donnes, jour après jour. Je suis fou de toi, et ce, depuis le premier jour où je t'ai aperçue dans les cuisines de la défunte Auberge Hatley, en Estrie, le 15 mai 2001.

Cette sixième édition est dédiée à ma belle-maman, Réjeanne Bégin-Labrecque. Une dame d'une classe remarquable et une mère de famille tout simplement exceptionnelle, qui est malheureusement décédée le 15 août 2016 à la suite d'un long et pénible combat contre le cancer. On t'aime, Rej, et jamais on ne t'oubliera ! XX

TABLE DES MATIÈRES

Suivez-nous sur le Web

Consultez nos sites Internet et inscrivez-vous à l'infolettre pour rester informé en tout temps de nos publications et de nos concours en ligne. Et croisez aussi vos auteurs préférés et notre équipe sur nos blogues!

EDITIONS-HOMME.COM
EDITIONS-JOUR.COM
EDITIONS-PETITHOMME.COM
EDITIONS-LAGRIFFE.COM

Imprimé au Canada